N5合格!
日本語能力試験問題集
The Workbook for the Japanese Language Proficiency Test

N5 語彙
スピードマスター

Quick Mastery of N5 Vocabulary
N5 词汇 快速掌握
N5 어휘 스피드 마스터
Nắm Vững Nhanh Từ Vựng N5

森本智子・高橋尚子・松本知恵・黒岩しづ可 共著

Jリサーチ出版

はじめに

　日本語能力試験は2010年に改定され、「コミュニケーションを重視」した試験になりました。コミュニケーションを図るためには、四技能の総合的な能力が必要となりますが、語彙力はその基礎となるものです。

　言葉の学習では、単に一つ一つの言葉の意味を覚えるだけでなく、その使い方や他の言葉との関連性を踏まえ、言葉のネットワークを構築することが重要だと考えます。そのため本書では、大小のテーマを設定し、言葉の整理をしながら、効率良く語彙を増やせるよう工夫しました。

　本書を使った学習を通して、皆さんが日本語能力試験N5に合格すること、また本書が皆さんの日本語力の向上に役立つことを願っています。

著者一同

Preface /前言/시작하며/ Lời mở đầu

The Japanese Language Proficiency Test (JLPT) was revised in 2010 to place more emphasis on "communication". In order to communicate effectively, a comprehensive grasp of the four skills of speaking, listening, reading and writing is necessary, but a substantial vocabulary provides an essential foundation.

The study of vocabulary is not just a matter of simply remembering the meanings of single words. Rather, what is important is to build "networks" of words based on how they are used and their relationships to other words. As such, this book was created using various themes according to which words have been organized, and special care has been taken to allow users to increase their vocabulary in the most efficient way possible.

Using this book as a study aid, we hope all users succeed in passing the level N5 test as well as boosting their Japanese ability

The authors

日语能力考试在 2010 年进行改革，演变为"重视交流能力"的考试。为了大家能用日语流利地进行语言交流，有必要培养大家四种技能的综合能力，词汇能力就是其中的基础部分。

关于词汇的学习，重要的不仅仅是记住每一个单词的意思，而且还要以单词的用法、以及与其他词语的关联性为基础，构筑一定的语言网络体系。为此，本书设定了大大小小的话题，并在语言的整理和有效地增加词汇量方面下了不小功夫。

希望大家通过对本书的学习，不仅能顺利通过日语的五级能力考试，还能更好地提高自己的日语能力。

编 者

일본어 능력 시험은 2010 년에 개정되어 "커뮤니케이션을 중시"한 시험이 되었습니다 . 커뮤니케이션을 하기 위해서는 네 기능의 종합적인 능력이 필요합니다 . 어휘력은 그 기초가 됩니다 .

언어 학습에서는 단순히 하나하나의 의미를 외우는 것이 아니라 그 사용법과 다른 말과의 관련성을 기초로 단어의 네트워크를 구축하는 것이 중요하다고 생각됩니다 . 그러기 위해 본서에서는 대소의 주제를 설정하여 단어를 정리하면서 효율적으로 어휘를 늘릴 수 있도록 궁리하였습니다 .

본서를 사용한 학습을 통해 여러분이 일본어 능력 시험 N5 에 합격하기를 , 또한 본서가 여러분의 일본어 능력 향상에 도움이 되기를 바랍니다 .

저자일동

Kì thi năng lực tiếng Nhật được cải cách vào năm 2010, trở thành kì thi "coi trọng khả năng giao tiếp". Để giao tiếp cần năng lực tổng hợp cả bốn kĩ năng và khả năng từ vựng là cơ sở cho bốn kĩ năng đó.

Để học từ vựng, không chỉ cần nhớ ý nghĩa của từng từ đơn lập mà còn cần xây dựng hệ thống từ trên cơ sở nắm được cách dùng của từng từ và mối tương quan với các từ vựng khác. Chính vì vậy cuốn sách này được xây dựng với các chủ đề lớn nhỏ để người đọc có thể vừa sắp xếp lại từ vựng vừa tăng vốn từ một cách hiệu quả.

Chúng tôi hy vọng rằng thông qua việc ôn luyện sử dụng cuốn sách này, quý vị có thể thi đỗ được kì thi Năng lực tiếng Nhật N5 và rất mong cuốn sách sẽ giúp ích cho quý vị trong việc nâng cao khả năng tiếng Nhật.

Nhóm tác giả

もくじ

Table of contents / 目录 / 목차 / Bảng nội dung

- ◆ **はじめに** Preface / 前言 / 시작하며 / Lời mở đầu ・・・・・・・・・・・・・・・・・ 2
- ◆ **日本語能力試験と語彙問題**
  Japanese Language Proficiency Test and vocabulary comprehension exercises / 日语能力考试和词汇问题 / 일본어 능력 시험과 어휘 문제 / Kỳ thi năng lực tiếng Nhật và các bài thi từ vựng ・・・・・・・・・ 6
- ◆ **この本の使い方** How to Use This Book / 本书指南 / 이 책의 사용법 / Cách sử dụng sách này ・・・・・・・ 8

PART 1　文字の読み・書きの基本整理（文字編）・・・・・・・ 11

Basics of Reading and Writing (Japanese characters section) / 文字的读・写的基本归纳（文字編）/ 문자의 읽기・쓰기의 기본 정리 (문자편) / Tóm tắt cách đọc và viết chữ (Tập chữ cái)

- Unit 1 ～ Unit 8　数え方①～③／「Ｎ５」の漢字①～⑤　…12
- ◎ **Unit 1~Unit 8 実戦練習** Test Questions / 实战练习 / 실전 연습 / Bài luyện tập thực hành ・・・・・ 28

PART 2　新しい言葉をおぼえよう（語彙編）・・・・・・・・・・・ 31

Memorizing new words (vocabulary section) / 记新单词（词汇編）/ 새 단어를 외우자 (어휘편) / Tóm tắt các mẫu câu cơ bản (Tập từ vựng)

- Unit 1　家族・人① Family, Person ① / 家人、人① / 가족・사람 ① / gia đình, người ① …32
- Unit 2　家族・人② Family, Person ② / 家人、人② / 가족・사람 ② / gia đình, người ② …34
- Unit 3　時間・時① Time ① / 时间、时候① / 시간・때① / thời gian ① …36
- Unit 4　時間・時② Time ② / 时间、时候② / 시간・때② / thời gian ② …38
- Unit 5　天気 Weather / 天气 / 날씨 / thời tiết …40
- ◎ **Unit 1~Unit 5 実戦練習** Test Questions / 实战练习 / 실전 연습 / Bài luyện tập thực hành ・・・・・ 42
- Unit 6　毎日の生活 Daily life / 每天的生活 / 매일의 생활 / cuộc sống hàng ngày …44
- Unit 7　レストラン Restaurant / 餐馆 / 레스토랑에서 / nhà hàng …46
- Unit 8　食べ物・飲み物 Food, Drink / 吃的、喝的 / 음식・음료 / đồ ăn, đồ uống …48
- Unit 9　こそあど Ko-so-a-do …50
- Unit 10　位置・方向 Location, Direction / 位置、方向 / 위치・방향 / vị trí, phương hướng …52
- ◎ **Unit 6~Unit 10 実戦練習** Test Questions / 实战练习 / 실전 연습 / Bài luyện tập thực hành ・・・・ 54
- Unit 11　服・くつ Clothes, Shoes / 服装、鞋 / 옷・신발 / quần áo, giày …56
- Unit 12　買い物 Shopping / 买东西 / 쇼핑 / mua sắm …58
- Unit 13　数量・程度 Quantity, Degree / 数量、程度 / 수량・정도 / số lượng, mức độ …60
- Unit 14　町・交通① Town, Transportation ① / 街、交通① / 거리・교통① / thành phố, giao thông ① …62

| Unit 15 | 町・交通② | Town, Transportation ②／街、交通②／거리・교통②／thành phố, giao thông ② …64 |

◎ **Unit 11~Unit 15 実戦練習** ・・・・・・・・・・・・・・・・・・・・・・・・・・・・・66

Unit 16	家・建物	Home, Buildings／房屋、建筑／집・건물／nhà, toà nhà …68
Unit 17	自然	Nature／自然／자연／thiên nhiên …70
Unit 18	学校	School／学校／학교／trường học …72
Unit 19	仕事・サービス	Work, Services／工作、服务／일・서비스／việc làm, dịch vụ …74
Unit 20	趣味・芸術・スポーツ	Hobbies, Arts, Sports／兴趣、艺术、运动／취미・예술・스포츠／sơ thích, nghệt thuật, thể thao …76

◎ **Unit 16~Unit 20 実戦練習** Test Questions／实战练习／실전 연습／Bài luyện tập thực hành・・・78

Unit 21	体・健康	Body, Health／身体・健康／몸・건강／cơ thể, sức khoẻ …80
Unit 22	道具・機械・材料	Tool, Machinery, Materials／工具・机械・材料／도구・재료・기계／dụng cụ, máy móc, nguyên liệu …82
Unit 23	情報・コミュニケーション	Information, Communication／情报・交流／정보・커뮤니케이션／thông tin, giao tiếp …84
Unit 24	世界と日本	The World and Japan／世界与日本／세계와 일본／thế giới và Nhật Bản …86
Unit 25	どんな人・気持ち？	What kind of person? What kind of feeling?／什么样的人・怎样的心情？／어떤 사람・기분？／người/tâm trạng thế nào …88

◎ **Unit 21~Unit 25 実戦練習** Test Questions／实战练习／실전 연습／Bài luyện tập thực hành・・・90

Unit 26	動詞	Verbs／动词／동사／động từ …92
Unit 27	形容詞・副詞	Adjective, Adverbs／形容词、副词／형용사・부사／tính từ, trạng từ …94
Unit 28	名詞	Nouns／名词／명사／danh từ …96
Unit 29	疑問詞・接続詞	Interrogatives, Conjunctions／疑问词、接续词／의문사・접속사／từ nghi vấn, liên từ …98
Unit 30	あいさつなど	Greetings and More／问候等／인사 등／câu chào hỏi v.v. …100

◎ **Unit26~Unit30 実戦練習** Test Questions／实战练习／실전 연습／Bài luyện tập thực hành・・・・102

PART 3 模擬試験 ・・・・・・・・・・・・・・・・・・・・・・・・・・・105
Mock examinations／模拟测试／모의고사／Kiểm tra mô phỏng thực tế

第1回 the 1st／第一次／제 1 회／Lần thứ nhất …106　　第2回 the 2nd／第二次／제 2 회／Lần thứ hai …113

さくいん　Index／索引／색인／Chỉ mục ・・・・・・・・・・・・・・・・・・120

解答用紙　Answer sheet／卷子、试卷／답안지／Giấy ghi câu trả lời ・・・・・・・・・127

〈別冊〉解答と「例文」の訳
〈separate volume〉Answers and "Example Sentence" Translations／〈分冊〉解答与「例句」的翻译／〈 〉해답과「예문」의 번역／〈biệt sách〉Câu trả lời và bản dịch của các câu ví dụ

Japanese Language Proficiency Test and vocabulary comprehension exercises／日语能力考试和词汇问题／
일본어 능력 시험과 어휘 문제／Kỳ thi năng lực tiếng Nhật và các bài thi từ vựng

- 目的：日本語を母語としない人を対象に、日本語能力を測定し、認定すること。
  ※ 課題遂行のための言語コミュニケーション能力を測ることを重視。
- 試験日：年2回（7月、12月の初旬の日曜日）
- レベル：N5（最もやさしい）→N1（最もむずかしい）

N1：幅広い場面で使われる日本語を理解することができる。
N2：日常的な場面で使われる日本語の理解に加え、より幅広い場面で使われる日本語をある程度理解することができる。
N3：日常的な場面で使われる日本語をある程度理解することができる。
N4：基本的な日本語を理解することができる。
N5：基本的な日本語をある程度理解することができる。

レベル	試験科目	時間	得点区分	得点の範囲
N1	言語知識（文字・語彙・文法） 読解	110分	言語知識（文字・語彙・文法）	0～60点
			読解	0～60点
	聴解	60分	聴解	0～60点
N2	言語知識（文字・語彙・文法） 読解	105分	言語知識（文字・語彙・文法）	0～60点
			読解	0～60点
	聴解	50分	聴解	0～60点
N3	言語知識（文字・語彙）	30分	言語知識（文字・語彙・文法）	0～60点
	言語知識（文法）・読解	70分	読解	0～60点
	聴解	40分	聴解	0～60点
N4	言語知識（文字・語彙）	30分	言語知識（文字・語彙・文法）	0～120点
	言語知識（文法）・読解	60分	読解	
	聴解	35分	聴解	0～60点
N5	言語知識（文字・語彙）	25分	言語知識（文字・語彙・文法）	0～120点
	言語知識（文法）・読解	50分	読解	
	聴解	30分	聴解	0～60点

※ N1・N2の科目は2科目、N3・N4・N5は3科目
- 認定の目安：「読む」「聞く」という言語行動でN5からN1まで表している。
- 合格・不合格：「総合得点」と各得点区分の「基準点（少なくとも、これ以上が必要という得点）」で判定する。

☞ くわしくは、日本語能力試験のホームページ〈http//www.jlpt/〉を参照してください。

N5のレベル　　以前の4級とだいたい同じレベル

	N5のレベル
読む	● ひらがなやカタカナ、日常生活で用いられる基本的な漢字で書かれた定型的な語句や文、文章を読んで理解することができる。
聞く	● 教室や、身の回りなど、日常生活の中でもよく出会う場面で、ゆっくり話される短い会話であれば、必要な情報を聞き取ることができる。

文字・語彙の問題構成

		大問		小問数	ねらい
言語知識（文字・語彙）	1	漢字読み	◇	12	漢字で書かれた語の読み方を問う。
	2	表記	◇	8	ひらがなで書かれた語が、漢字・カタカナでどのように書かれるかを問う。
	3	文脈既定	◇	10	文脈によって意味的に規定される語が何であるかを問う。
	4	言い換え類義	○	5	出題される語や表現と意味的に近い語や表現を問う。

◇ 以前の試験でも出題されていたが、問題形式が部分的に変わったもの。
○ 以前の試験でも出題されていたもの。
※ 小問の数は変わる場合もあります。

この本の 使い方

How to Use This Book ／本书指南／
이 책의 사용법／Cách sử dụng sách này

この本は、PART 1「文字の読み・書きの基本整理」、PART 2「新しい言葉を覚えよう」、PART 3「模擬試験」で構成されています。

◆ PART 1 では、漢字を中心に、文字の読み・書きの基本を整理します。PART 2 では、テーマごとに言葉を取り上げて、意味と使い方を学習します。

◆ 5ユニットごとに実戦形式の練習問題（実戦練習）をします。

◆ 最後に、実力チェックのため、模擬試験をします。（2回）

そのテーマに関連する語で、マスターしておきたいものをリストにしています。

There will be a list of words that relate to each theme that you should try to master.／将掌握与其题目相关的词语列入一览表中。／그 테마와 관련된 말로 마스터해두어야 할 것을 리스트화했습니다.／Nêu ra các từ liên quan đến chủ đề đó và cần phải nắm vững làm bảng danh sách.

※ 複数のユニットでリストアップされるものもあります。

Some words are listed in multiple units.／也有将几个单元列入一览表的。／복수의 유닛에서 리스트업 한 것도 있습니다.／Cũng có một số từ được nêu ở trong nhiều Unit.

※ 発展的なものを▶のあとに示しています。

Expansions of terms are preceded by the ▶ mark.／应用的部分表示在▶后面。／발전학습은 ▶의 뒤에 제시하였습니다.／Sau dấu ▶ là những điều mang tính phát triển.

※ 動詞の辞書形の訳は、「～します」でなはく、「～する」の形を基本にしています。

Translation of dictionary forms of verbs generally take the "～する" form, not the "～します" form.／动词的词典形的翻译不是「～します」，而是以「～する」的形式为基准。／동사 사전형의 번역은 "~ 합니다" 형태가 아니라 "~ 하다" 형태를 기본으로 하였습니다.／Theo nguyên tắc thể từ điển của các động từ được thể hiện bằng "～する" chứ không phải bằng "～します".

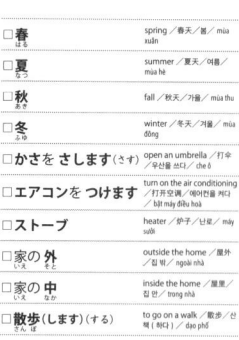

CD の内容

CD Contents／CD 的内容／
CD 의 내용／Nội dung đĩa CD

付属の CD には、各ユニットの「例文」の音声が収録されています。

Recordings of each unit's "Sample Sentences" are recorded on the attached CD.／附属 CD 中配有各单元的例句录音。／부속 CD 에는 각 유닛의 "예문" 음성이 수록되어 있습니다.／Các câu ví dụ trong các Unit có phần âm thanh được thu trong đĩa CD kèm theo.

This book consists of three parts. Part 1: "Sorting out the basic of reading and writing characters," Part 2: "Learning new words," and Part 3: "Practice tests."

◆ In Part 1, the basics of reading and writing characters, primarily kanji, are sorted out. In Part 2, words are introduced according to themes so that their meaning and usage can be learned.

◆ Every five units, there are practice questions similar to those seen in actual tests (実戦練習).

◆ Finally, there are practice tests (two) for you to check your ability.

本书是由PART1「文字的读．写的基本归纳」、PART2「记住新词语」、PART3「模拟考试」三部分组成。

◆ PART1是以汉字为中心，整理出文字的读・写的基本模式。PART2是根据每个标题来提取词汇，学习词语的意思及用法。

◆ 每5个单元都有一次实战形式的练习。

◆ 最后为了考核实力，进行模拟考试。(共2回)

이 책은 PART 1「문자 읽기・쓰기의 기본 정리」, PART2「새 말을 외우자」, PART3「모의시험」으로 구성되어 있습니다.

◆ PART 1에서는 한자를 중심으로 문자의 읽기・쓰기의 기본을 정리하였습니다. PART2에서는 테마별로 말을 정리하여 의미와 사용법을 공부합니다.

◆ 5 유닛마다 실전 형식의 연습문제 (実戦練習)를 풉니다.

◆ 마지막으로 실력체크를 위해 모의시험을 봅니다. (2 회)

Cuốn sách này gồm 3 phần: Phần 1: Tóm tắt cách đọc và viết chữ. Phần 2: Hãy nhớ từ mới. Phần 3: Bài kiểm tra mô phỏng thực tế.

◆ Phần 1 tóm tắt những điều cơ bản về cách đọc và viết chữ, chủ yếu về chữ Hán. Phần 2 nêu ra các từ theo chủ đề và giải thích ý nghĩa và cách sử dụng."

◆ Mỗi 5 Unit có bài luyện tập thực hành (実戦練習)."

◆ Cuối cùng có bài thi mô phỏng thực tế để kiểm tra khả năng của mình (2 lần).

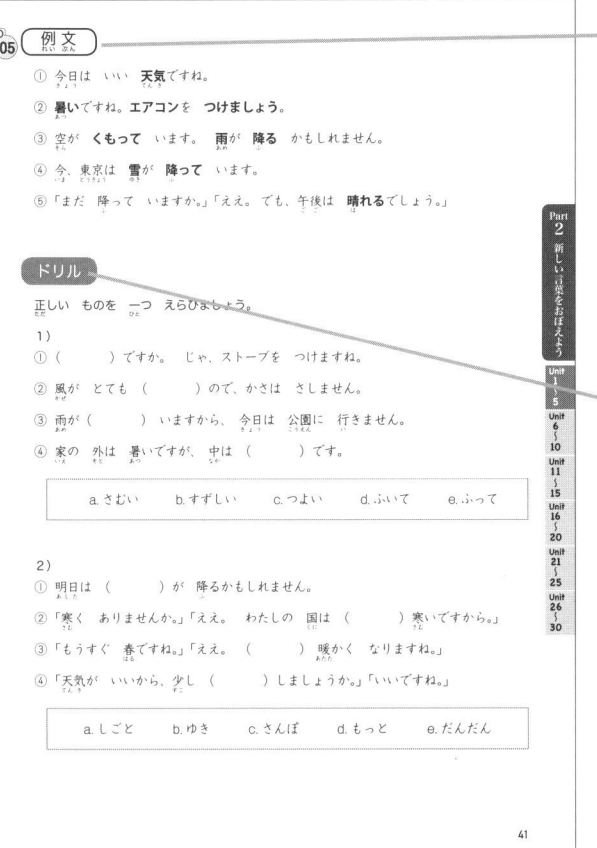

リストで示した語を使った例文です。付属のCDに音声も収録されています。

These are example sentences that use the words indicated in the lists. Recordings of them are also included on the attached CD. ／例句使用一览表中的词语，附属CD中配有录音。／리스트에 제시된 말을 사용한 예문입니다. 부속의 CD 에 음성도 수록되어있습니다. ／ Là câu ví dụ gồm từ được nêu trong bảng danh sách. Có cả phần âm thanh được thu trong đĩa CD kèm theo.

リストで示した語の意味や使い方を確認するドリルです。

These are drills used to confirm the meaning and usage of the words indicated in the lists. ／练习问题是确认一览表中的词语的意思及用法。／리스트에서 제시한 말의 의미와 사용 법을 확인하는 드릴입니다. ／ Là bài luyện tập kiểm tra ý nghĩa và cách sử dụng của các từ được nêu trong bảng danh sách.

※ 選択肢はくりかえし使わず、4つの文がすべて完成するように選びます。

All four sentences can be completed without reusing a single selection twice. ／选择题不重复使用，选择完全适合4个句子的词语。／선택항목은 반복해 사용하지 말고 4 개의 문장이 모두 완성되도록 고릅니다. ／ Các sự lựa chọn không được sử dụng nhiều lần và hãy chọn từ để hoàn thành tất cả 4 câu.

漢字かひらがなか、などの表記については、固定せず、ある程度柔軟に扱っています。

There are no firm rules regarding when kanji are used and when hiragana are used, and they can be used in a relatively flexible manner. ／关于汉字或假名等的书写，没有固定、在某种程度上可以灵活处理。／한자인지 히라가나인지 등의 표기에 대해서는 고정하지 않고 유연하게 취급하였다. ／ Không thống nhất chữ Hán hoặc Hiragana nghiêm ngặt lắm.

PART 1

文字の読み・書きの基本整理（文字編）
もじ　よ　　か　　　きほんせいり　　もじへん

Basics of Reading and Writing (Japanese characters section)
文字的读・写的基本归纳（文字编）
문자의 읽기・쓰기의 기본 정리 (문자편)
Tóm tắt cách đọc và viết chữ (Tập chữ cái)

数え方①（物、お金、人など）

the way of counting ① (objects, money, people, etc)／数法①（东西、钱、人等）／
세는 법①（물건, 돈, 사람등）／Cách đếm ①(vật, tiền, người v.v..)

		～個	～回	～冊	～歳	～センチ (～cm)
一	いち	いっこ	いっかい	いっさつ	いっさい	いっセンチ
二	に	にこ	にかい	にさつ	にさい	にセンチ
三	さん	さんこ	さんかい	さんさつ	さんさい	さんセンチ
四	よん／し	よんこ	よんかい	よんさつ	よんさい	よんセンチ
五	ご	ごこ	ごかい	ごさつ	ごさい	ごセンチ
六	ろく	ろっこ	ろっかい	ろくさつ	ろくさい	ろくセンチ
七	なな／しち	ななこ	ななかい	ななさつ	ななさい	ななセンチ
八	はち	はちこ／はっこ	はちかい／はっかい	はっさつ	はっさい	はっセンチ
九	きゅう／く	きゅうこ	きゅうかい	きゅうさつ	きゅうさい	きゅうセンチ
十	じゅう	じゅっこ／じっこ	じゅっかい／じっかい	じゅっさつ／じっさつ	じゅっさい／じっさい	じゅっセンチ／じっセンチ
百	ひゃく	ひゃっこ	ひゃっかい	ひゃくさつ	ひゃくさい	ー
千	せん	せんこ	せんかい	せんさつ		ー
万	まん	いちまんこ	いちまんかい	いちまんさつ		ー
					※二十歳 はたち	

		～本 ほん／ぼん／ぽん	～杯 はい／ばい／ぱい	～匹 ひき／びき／ぴき
一	いち	いっぽん	いっぱい	いっぴき
二	に	にほん	にはい	にひき
三	さん	さんぼん	さんばい	さんびき
四	よん／し	よんほん	よんはい	よんひき
五	ご	ごほん	ごはい	ごひき
六	ろく	ろっぽん	ろっぱい	ろっぴき
七	なな／しち	ななほん	ななはい	ななひき
八	はち	はっぽん／はちほん	はっぱい／はちはい	はっぴき／はちひき
九	きゅう／く	きゅうほん	きゅうはい	きゅうひき
十	じゅう	じゅっぽん／じっぽん	じゅっぱい／じっぱい	じゅっぴき／じっぴき
百	ひゃく	ひゃっぽん	ひゃっぱい	ひゃっぴき
千	せん	せんぼん	せんばい	せんびき
万	まん	いちまんぼん	いちまんばい	いちまんびき

		～メートル	～円	～人		～つ
一	いち	いちメートル	いちえん	ひとり	いちにん	ひとつ
二	に	にメートル	にえん	ふたり	ににん	ふたつ
三	さん	さんメートル	さんえん		さんにん	みっつ
四	よん／し	よんメートル	よえん		よにん	よっつ
五	ご	ごメートル	ごえん		ごにん	いつつ
六	ろく	ろくメートル	ろくえん		ろくにん	むっつ
七	なな／しち	ななメートル	ななえん		ななにん／しちにん	ななつ
八	はち	はちメートル	はちえん		はちにん	やっつ
九	きゅう／く	きゅうメートル	きゅうえん		きゅうにん／くにん	ここのつ
十	じゅう	じゅうメートル	じゅうえん		じゅうにん	とお
百	ひゃく	ひゃくメートル	ひゃくえん		ひゃくにん	ひゃく
千	せん	せんメートル	せんえん		せんにん	せん
万	まん	いちまんメートル	いちまんえん		いちまんにん	まん

ドリル

（　）から　正しい　こたえを　ひとつ　えらんで　ください。
Please choose the correct answer from 〔　〕. ／从〔　〕中选择一个正确的答案。／〔　〕에서 바른 답을 하나 골라 주세요．
／ Hãy chọn một câu trả lời đúng trong 〔　〕.

1)

① つくえの　上に　えんぴつが　一本　あります。〔a. いっぽん　b. いちほん〕

② マリアさんは　子どもが　二人　います。〔a. ににん　b. ふたり〕

③ わたしは　チーズを　八つ　食べました。〔a. はっつ　b. やっつ〕

④ 庭に　ねこが　六匹　います。〔a. ろくびき　b. ろっぴき〕

⑤ かんじの　テストは　十回　あります。〔a. じゅっかい　b. じゅうかい〕

2)

① うちから　学校まで　にひゃくメートルです。〔a. 二万　b. 二百〕

② この　ケーキを　ろっこ　ください。〔a. 六　b. 八〕

③ パンを　いつつ　ください。〔a. 一　b. 五〕

④ 教室に　学生が　じゅうしちにん　います。〔a. 十七　b. 十一〕

⑤ この　消しゴムは　はちじゅうえんです。〔a. 二十　b. 八十〕

Unit 2 数え方②(時間)

the way of counting ② (time) ／数法②（时间）／세는 법②(시간)／Cách đếm ② (thời gian)

時間

	午前／午後	

		～時	～分
零	れい／ゼロ	れいじ	れいふん
一	いち	いちじ	いっぷん
二	に	にじ	にふん
三	さん	さんじ	さんぷん
四	し／よん	よじ	よんぷん
五	ご	ごじ	ごふん
六	ろく	ろくじ	ろっぷん
七	しち／なな	しちじ	ななふん
八	はち	はちじ	はちふん／はっぷん
九	きゅう／く	くじ	きゅうふん
十	じゅう	じゅうじ	じゅっぷん／じっぷん
十一	じゅういち	じゅういちじ	じゅういっぷん
十二	じゅうに	じゅうにじ	じゅうにふん
十三	じゅうさん	(じゅうさんじ)	じゅうさんぷん
十四	じゅうし／じゅうよん	(じゅうよじ)	じゅうよんぷん
十五	じゅうご	(じゅうごじ)	じゅうごふん
十六	じゅうろく	(じゅうろくじ)	じゅうろっぷん
十七	じゅうしち／じゅうなな	(じゅうしちじ)	じゅうななふん
十八	じゅうはち	(じゅうはちじ)	じゅうはちふん／はっぷん
十九	じゅうきゅう／じゅうく	(じゅうくじ)	じゅうきゅうふん
二十	にじゅう	(にじゅうじ)	にじゅっぷん／にじっぷん
三十	さんじゅう	－	さんじゅっぷん／さんじっぷん ※～時三十分＝～時半
四十	よんじゅう	－	よんじゅっぷん／よんじっぷん
五十	ごじゅう	－	ごじゅっぷん／ごじっぷん

時間の長さ

		～年(間)	～か月(間)	～週間
一	いち	いちねん(かん)	いっかげつ(かん)	いっしゅうかん
二	に	にねん(かん)	にかげつ(かん)	にしゅうかん
三	さん	さんねん(かん)	さんかげつ(かん)	さんしゅうかん
四	し／よん	よねん(かん)	よんかげつ(かん)	よんしゅうかん
五	ご	ごねん(かん)	ごかげつ(かん)	ごしゅうかん
六	ろく	ろくねん(かん)	ろっかげつ(かん)	ろくしゅうかん
七	しち／なな	ななねん(かん)／しちねん(かん)	ななかげつ(かん)	ななしゅうかん
八	はち	はちねん(かん)	はちかげつ(かん)／はっかげつ(かん)	はっしゅうかん
九	きゅう／く	きゅうねん(かん)／くねん(かん)	きゅうかげつ(かん)	きゅうしゅう(かん)

		～年(間)	～か月(間)	～週(間)
十	じゅう	じゅうねん(かん)	じゅっかげつ(かん)／じっかげつ(かん)	じゅっしゅう(かん)／じっしゅう(かん)
十一	じゅういち	じゅういちねん(かん)	じゅういっかげつ(かん)	じゅういっしゅう(かん)
二十	にじゅう	にじゅうねん(かん)	にじゅっかげつ(かん)	にじゅっしゅう(かん)
三十	さんじゅう	さんじゅうねん(かん)	さんじゅっかげつ(かん)	さんじゅっしゅう(かん)

		～日(間) にち/かかん	～時間 じかん	～分(間) ふん/ぷんかん
一	いち	いちにち	いちじかん	いっぷんかん
二	に	ふつか(かん)	にじかん	にふんかん
三	さん	みっか(かん)	さんじかん	さんぷんかん
四	し／よん	よっか(かん)	よじかん	よんぷんかん
五	ご	いつか(かん)	ごじかん	ごふんかん
六	ろく	むいか(かん)	ろくじかん	ろっぷんかん
七	しち／なな	なのか(かん)	ななじかん／しちじかん	ななふんかん
八	はち	ようか(かん)	はちじかん	はっぷんかん
九	きゅう／く	ここのか(かん)	くじかん	きゅうふん(かん)
十	じゅう	とおか(かん)	じゅうじかん	じゅっぷん(かん)／じっぷん(かん)
十一	じゅういち	じゅういちにち	じゅういちじかん	じゅういっぷん(かん)
二十	にじゅう	はつか(かん)	にじゅうじかん	にじゅっぷん(かん)／にじっぷん(かん)
三十	さんじゅう	さんじゅうにち(かん)	さんじゅうじかん	さんじゅっぷん(かん)／さんじっぷん(かん)

※～時間三十分＝～時間半

ドリル

（　）から 正しい こたえを ひとつ えらんで ください。

1）

① 「今、何時ですか。」「四時です。」〔a. よん　b. よ〕

② 電車は 八時 六分に 来ます。〔a. ろく　b. ろっ〕

③ わたしは 七日間 アメリカへ 行きます。〔a. なな　b. なの〕

④ わたしたちは 十七年 前に 結婚しました。〔a. じゅうしち　b. じゅういち〕

⑤ 夏休みは 一か月間 です。〔a. いち　b. いっ〕

2）

① フランスまで 飛行機で しち時間 かかります。〔a. 四　b. 七〕

② わたしは ピアノを じゅうに年間 習いました。〔a. 二十　b. 十二〕

③ あしたから はつか間、仕事を 休みます。〔a. 二日　b. 二十日〕

④ 毎朝 くじに 家を 出ます。〔a. 九　b. 六〕

⑤ この レポートに いつか かかりました〔a. 一日　b. 五日〕

数え方③（年・月・週・日）
かぞえかた　とし・つき・しゅう・ひ

the way of counting ③ (years, months, weeks, days) ／数法③（年・月・周・日）／
세는 법③ (년・월・주・일) ／ Cách đếm ③ (năm, tháng, tuần, ngày)

年・月・週・日
とし・つき・しゅう・ひ

年	ねん／とし	去年（きょねん）→今年（ことし）→来年（らいねん）	毎年（まいとし）	何年（なんねん）
月	がつ・げつ／つき	先月（せんげつ）→今月（こんげつ）→来月（らいげつ）	毎月（まいつき）	何月（なんがつ）
週	しゅう	先週（せんしゅう）→今週（こんしゅう）→来週（らいしゅう）	毎週（まいしゅう）	何週（なんしゅう）
日	ひ・か／にち	昨日（きのう）→今日（きょう）→明日（あした）	毎日（まいにち）	何日（なんにち）

月
つき

一月	二月	三月	四月	五月	六月
いちがつ	にがつ	さんがつ	しがつ	ごがつ	ろくがつ
七月	八月	九月	十月	十一月	十二月
しちがつ	はちがつ	くがつ	じゅうがつ	じゅういちがつ	じゅうにがつ

曜日と日
ようびとひ

日よう日 にちようび	月よう日 げつようび	火よう日 かようび	水よう日 すいようび	木よう日 もくようび	金よう日 きんようび	土よう日 どようび
1 一日 ついたち	2 二日 ふつか	3 三日 みっか	4 四日 よっか	5 五日 いつか	6 六日 むいか	7 七日 なのか
8 八日 ようか	9 九日 ここのか	10 十日 とおか	11 十一日 じゅういちにち	12 十二日 じゅうににち	13 十三日 じゅうさんにち	14 十四日 じゅうよっか
15 十五日 じゅうごにち	16 十六日 じゅうろくにち	17 十七日 じゅうしちにち	18 十八日 じゅうはちにち	19 十九日 じゅうくにち	20 二十日 はつか	21 二十一日 にじゅういちにち
22 二十二日 にじゅうににち	23 二十三日 にじゅうさんにち	24 二十四日 にじゅうよっか	25 二十五日 にじゅうごにち	26 二十六日 にじゅうろくにち	27 二十七日 にじゅうしちにち	28 二十八日 にじゅうはちにち
29 二十九日 にじゅうくにち	30 三十日 さんじゅうにち	31 三十一日 さんじゅういちにち				

ドリル

（　）から 正しい こたえを ひとつ えらんで ください。

1)

① 今月から 大学生に なります。〔a. こんげつ　b. こんがつ〕

② 六月 四日は マリアさんの 誕生日です。〔a. よんか　b. よっか〕

③ わたしは 去年 大学を 卒業しました。〔a. きょねん　b. きょうねん〕

④ 来月の 八日に 試験が あります。〔a. やっか　b. ようか〕

⑤ 毎月 二十日は 肉が 安く なります。〔a. まいつき　b. まいがつ〕

2)

① あしたから し月です。〔a. 七　b. 四〕

② 毎週 すいよう日に サッカーを します。〔a. 水　b. 木〕

③ わたしは まいにち 映画を 見ます。〔a. 毎年　b. 毎日〕

④ 五月 ここのかに 子どもが 生まれました。〔a. 九日　b. 一日〕

⑤ 四月 ようかから 学校が 始まります。〔a. 四日　b. 八日〕

Unit 4 「N5」の漢字①

Kanji for N5 ①／「N5」的汉字①／「N5」의 한자①／Chữ Hán "N5" ①

「お金」の漢字

金	金曜日(きんようび)
	お金(かね)
円	千円、円を書く(せんえん、えん、か)

「時間」の漢字

年	一年(いちねん)
	あたらしい年(とし)、おじいさんの年(とし)
月	今月(こんげつ)
	五月(ごがつ)
	あたらしい月(つき)
週	今週(こんしゅう)
日	15日(にち)
	その日(ひ)
	五月一日(ごがつついたち)
時	8時(じ)
分	2分、何分？(ふん、なんぷん)
	分かる(わ)
今	今月(こんげつ)
	今(いま)
毎	毎日(まいにち)
間	時間(じかん)
	AとBの間(あいだ)
半	9時半(じはん)
午	午前、午後(ごぜん、ごご)

ドリル

( )から 正しい こたえを ひとつ えらんで ください。

1)

① えきと 学校の 間に 川が あります。〔a. かん　b. あいだ〕

② あしたの 午後 8時に 会いましょう。〔a. ごご　b. ごぜん〕

③ この パンを 半分 食べて ください。〔a. はんぷん　b. はんぶん〕

④ あには 今年 30さいです。〔a. こんねん　b. ことし〕

⑤ 毎年、夏に ここに 来ます。〔a. まい　b. らい〕

2)

① 3時はんに 駅に 来て ください。〔a. 午　b. 半〕

② あと 5ふんで バスが きます。〔a. 時　b. 分〕

③ 買いたいですが、今、おかねが ありません。〔a. 円　b. 金〕

④ これは 100ねん 前の しんぶんです。〔a. 年　b. 年〕

⑤ しゅうに 三日、スーパーで はたらいて います。〔a. 周　b. 週〕

Unit 5 「N5」の 漢字②

Kanji for N5 ②／「N5」的汉字②／「N5」의 한자②／Chữ Hán "N5" ②

「曜日」の漢字

月	月曜日、今月（げつようび、こんげつ）
	5月（がつ）
火	火曜日、火事（かようび、かじ）
	火（ひ）
水	水曜日（すいようび）
	水（みず）
木	木曜日（もくようび）
	大きな 木、木の テーブル（おお　き　き）
金	金曜日（きんようび）
	お金（かね）
土	土曜日（どようび）
日	日曜日（にちようび）
	忙しい 日、たんじょう日（いそが　ひ　び）

「人」の漢字

人	5人（にん）
	たくさんの 人（ひと）
子	子ども（こ）
男	男性（だんせい）
	男の 人（おとこ　ひと）
女	女性（じょせい）
	女の 人（おんな　ひと）

「学校」の漢字

学	学生（がくせい）
校	学校（がっこう）
先	先生（せんせい）
	先に 行く（さき　い）
生	生徒（せいと）
	生きる（い）

「家族」の漢字

父	父（ちち）
母	母（はは）

ドリル

〔　〕から 正しい こたえを ひとつ えらんで ください。

1)

① きのう、火事が ありました。〔a. か　　b. ひ〕

② あの 男の 人は、わたしの 友だちです。〔a. おとこ　　b. おんな〕

③ 土曜日も 会社へ 行きました。〔a. ど　　b. どう〕

④ かぞくは 何人ですか。〔a. じん　　b. にん〕

⑤ わからないので、先生に 聞きました。〔a. せえ　　b. せい〕

2)

① いもうとは 大がく生です。〔a. 学　　b. 子〕

② 8じ半に 学こうへ 行きます。〔a. 高　　b. 校〕

③ げつ曜日に 友だちに 会いました。〔a. 目　　b. 月〕

④ にわに 大きい きが あります。〔a. 木　　b. 休〕

⑤ ちちは りょこう会社で はたらいて います。〔a. 父　　b. 女〕

Unit 6 「N5」の 漢字③

Kanji for N5 ③／「N5」的汉字③／「N5」의 한자③／Chữ Hán "N5" ③

「場所」の漢字

上	つくえの**上**（うえ）
中	へやの**中**（なか）
下	つくえの**下**（した）
外	**外**国（がいこく）／いえの**外**（そと）
前	午**前**（ごぜん）／いえの**前**（まえ）
後	午**後**（ごご）／**後**で、**後**ろ（あと、うしろ）
左	**左**、**左**手（ひだり、ひだりて）
右	**右**、**右**手（みぎ、みぎて）
東	**東**（ひがし）
西	**西**（にし）
南	**南**（みなみ）
北	**北**（きた）

「天気」の漢字

天	天気（てんき）
気	気もち（きもち）
雨	雨（あめ）
空	空港（くうこう）／空（そら）

「色」の漢字

白	白（い）（しろ）
黒	黒（い）（くろ）
青	青（い）（あお）
赤	赤（い）（あか）

ドリル

（　）から 正しい こたえを ひとつ えらんで ください。

1)

① テーブルの 上に、かばんが あります。〔a. うえ　　b. した〕

② わたしの 部屋は、南に 窓が あります。〔a. きた　　b. みなみ〕

③ 田中さんの 後ろに ねこが いますよ。〔a. うし　　b. あと〕

④ さいふは かばんの 中に 入れました。〔a. なか　　b. そと〕

⑤ 教室の 前に 先生が 立って います。〔a. まえ　　b. ぜん〕

2)

① その 角を みぎに 曲がって ください。〔a. 右　　b. 左〕

② 駅から ひがしに 行くと、公園が あります。〔a. 車　　b. 東〕

③ かわいい あかちゃんですね。〔a. 赤　　b. 青〕

④ 今日は、いい てん気ですね。〔a. 大　　b. 天〕

⑤ あめが ふりますから、かさを 持って いきましょう。〔a. 空　　b. 雨〕

「N5」の漢字 ④

Kanji for N5 ④／「N5」的汉字④／「N5」의 한자④／Chữ Hán "N5" ④

「形や様子」の漢字

大	大学（だいがく）
	大きい（おお）
小	小学校（しょうがっこう）
	小さい（ちい）
高	高校（こうこう）
	高いビル、高いかばん（たか）（たか）
長	長い（なが）
多	多い（おお）
少	少ない（すく）
新	新しい（あたら）
古	古い（ふる）
安	安い（やす）

「動作」の漢字

行	旅行（りょこう）
	行く（い）
来	来月（らいげつ）
	来ます、来る（き）（く）
食	食事（しょくじ）
	食べます
飲	飲みます（の）
話	話します（はな）
立	立ちます（た）
見	見ます（み）
入	入り口、入ります（い）（ぐち）（はい）
出	出ます、出します、出口（で）（だ）（でぐち）
言	言います、言葉（い）（ことば）
聞	新聞（しんぶん）
	聞きます（き）
読	読みます（よ）
書	書きます（か）
休	休みます（やす）
買	買います（か）

ドリル

〔　〕から 正しい こたえを ひとつ えらんで ください。

1)
① わたしの 兄は、背が 高いです。〔a. たかい　b. おおい〕
② どんな 音楽を 聞きますか。〔a. かきます　b. ききます〕
③ この 服は 古いですね。〔a. やすい　b. ふるい〕
④ ひまな とき、よく マンガを 読みます。〔a. よみます　b. やすみます〕
⑤ 8時に へやを 出ます。〔a. でます　b. みます〕

2)
① コーヒーを のみませんか。〔a. 飲　b. 食〕
② 今日は 人が すくないですね。〔a. 小　b. 少〕
③ 父は「行っても いい」と いいました。〔a. 言　b. 話〕
④ 今日、田中さんは きますか。〔a. 来　b. 行〕
⑤ パンを かいました。〔a. 貝　b. 買〕

Unit 8 「N5」の漢字⑤

Kanji for N5 ⑤／「N5」的汉字⑤／「N5」의 한자⑤／Chữ Hán "N5" ⑤

「体」の漢字

口	口(くち)、入(い)り口(ぐち)
耳	耳(みみ)
手	手(て)
足	足(あし)
目	目(め)、1つ目(め)

その他の漢字

電	電話(でんわ)
車	電車(でんしゃ)
	車(くるま)
名	有名(ゆうめい)
	名前(なまえ)
友	友(とも)だち
川	川(かわ)
山	ふじ山(さん)
	山(やま)
何	何(なに)、何日(なんにち)
本	本(ほん)、何本(なんぼん)、1本(ぽん)
国	国(くに)、外国(がいこく)
語	日本語(にほんご)

道	道(みち)
駅	駅(えき)
花	花(か)びん
	花(はな)
魚	魚(さかな)
会	会社(かいしゃ)
	会(あ)う
社	会社(かいしゃ)
店	きっさ店(てん)
	店(みせ)

ドリル

（　）から 正しい こたえを ひとつ えらんで ください。

1)

① 田中さんは 目が 大きいです。〔a. め　b. みみ〕

② あの 山に のぼりましょう。〔a. かわ　b. やま〕

③ きれいな 花ですね。〔a. はな　b. さかな〕

④ 「お国は どちらですか。」「アメリカです。」〔a. にく　b. くに〕

⑤ たくさん あるきましたから、足が いたいです。〔a. あし　b. て〕

2)

① 会しゃまで 電車で いきます。〔a. 仕　b. 社〕

② あした、5時に えきに 来て ください。〔a. 道　b. 駅〕

③ 友だちに 日本語の ほんを かりました。〔a. 本　b. 木〕

④ この さかなの 名まえは 何ですか。〔a. 魚　b. 耳〕

⑤ 川の ちかくに みせが あります。〔a. 屋　b. 店〕

Unit 1 〜 Unit 8 実戦練習

⏳ 15分でチャレンジ

もんだい1 ＿＿＿の ことばは ひらがなで どう かきますか。1・2・3・4から いちばん いい ものを ひとつ えらんで ください。

① もうすぐ 電車が きます。
　　1　てんしゅ　　　2　でんしゅ　　　3　てんしゃ　　　4　でんしゃ

② 今週、テストが あります。
　　1　せんしゅう　　2　こんしゅう　　3　らいしゅう　　4　まいしゅう

③ ペンは 何本 ありますか。
　　1　なにほん　　　2　なにぼん　　　3　なにぽん　　　4　なんぼん

④ ここから 南に いって ください。
　　1　きた　　　　　2　ひがし　　　　3　にし　　　　　4　みなみ

⑤ こちらは わたしの 母です。
　　1　ちち　　　　　2　はは　　　　　3　あね　　　　　4　あに

⑥ きょうは ごがつ 四日です。
　　1　いっか　　　　2　いつか　　　　3　よっか　　　　4　よつか

⑦ この ノートは 高いですね。
　　1　たか　　　　　2　ふる　　　　　3　やす　　　　　4　かる

⑧ 水ようびの よる、さくらさんに あいます。
　　1　きん　　　　　2　すい　　　　　3　げつ　　　　　4　か

⑨ さんびゃく九十えんです。
　　1　くじゅ　　　　2　くじゅう　　　3　きゅうじゅ　　4　きゅうじゅう

⑩ こうえんに こどもが 二人います。

　　1　ににん　　　　2　にひと　　　　3　ふたり　　　　4　ふたひと

⑪ いま、じゅうじ 三分です。

　　1　さんふん　　　2　さんぷん　　　3　ざんふん　　　4　ざんぷん

⑫ あしたも 会社へ いきます。

　　1　かいしゃ　　　2　かいしゅ　　　3　がいしゃ　　　4　がいじゅ

もんだい2 ＿＿＿の ことばは どう かきますか。1・2・3・4から いちばん いい ものを ひとつ えらんで ください。

① テーブルの うえに ほんが あります。

　　1　木　　　　　　2　本　　　　　　3　休　　　　　　4　体

② そこを みぎに まがって ください。

　　1　石　　　　　　2　白　　　　　　3　右　　　　　　4　左

③ スーパーで おじいさんと はなしました。

　　1　読　　　　　　2　話　　　　　　3　語　　　　　　4　言

④ せんせいは どこに いますか。

　　1　先生　　　　　2　洗生　　　　　3　学生　　　　　4　字生

⑤ たかしさんは あしが ながいですね。

　　1　耳　　　　　　2　手　　　　　　3　足　　　　　　4　目

⑥ きのう、あめが ふりました。

　　1　古　　　　　　2　西　　　　　　3　空　　　　　　4　雨

PART 2

新しい言葉をおぼえよう（語彙編）
あたら　　ことば　　　　　　　　　　　ご い へん

Memorizing new words (vocabulary section)
记新单词（词汇编）
새 단어를 외우자 (어휘편)
Tóm tắt cách đọc và viết chữ (Tập chữ cái)

家族・人 ①
Family, Person ①／家人、人①／가족·사람 ①／ gia đình / người ①

□ わたし	I ／我／나, 저／ tôi	□ 男の子	boy ／男孩儿／남자아이／ con trai
▶ わたくし ※硬い言い方	I (formal) ／我、本人／나, 저／ tôi ※ cách nói cứng hơn	□ 女の子	girl ／女孩儿／여자아이／ con gái
□ あなた	you ／你、您／당신／ bạn	□ おじいさん	grandfather ／爷爷、姥爷／할아버지／ ông
□ 彼	him ／他／그／ anh ấy	□ おばあさん	grandmother ／奶奶、姥姥／할머니／ bà
□ 彼女	her ／她／그녀／ cô ấy	□ おじ（さん）	uncle ／伯父、叔叔、舅舅／삼촌·외삼촌／ bác trai, chú, cậu
□ お母さん	mom ／妈妈／어머니／ mẹ	□ おば（さん）	aunt ／姑姑、姨、阿姨／고모·이모／ bác gái, cô, dì
▶ 母 ※硬い言い方	mother (formal) ／母亲／어머니／ mẹ ※ cách nói cứng hơn	□ ペット	pet ／宠物／침대／ thú cưng
□ お父さん	dad ／爸爸／아버지／ bố	□ 家族	family ／家人／가족／ gia đình
▶ 父 ※硬い言い方	father (formal) ／父亲／아버지／ bố ※ cách nói cứng hơn	□ 日本にいます（いる）	in Japan ／在日本／일본에 있다／ ở Nhật Bản
□ 親	parent(s) ／父母／부모／ bố mẹ	□ 住みます（住む）	will live ／住／삽니다／ sống
□ 両親	parents ／双亲／양친／ bố mẹ	□ いっしょに	together ／一起／함께／ cùng
□ お兄さん	older brother ／哥哥／형·오빠／ anh trai	□ 彼は日本人です。	He is Japanese. ／他是日本人。／그는 일본인입니다／ Anh ấy là người Nhật Bản.
▶ 兄 ※硬い言い方	older brother (formal) ／兄长、大哥／형·오빠／ anh trai ※ cách nói cứng hơn	□ 国	country ／国、国家／국가／ đất nước
▶ （わたしは）兄がいます。	I have an older brother. ／我有哥哥。／나는 형이 있습니다．／ Tôi có anh trai.	□ 学校	school ／学校／학교／ trường học
□ お姉さん	older sister ／姐姐／누나, 언니／ chị gái	□ 学生	student ／学生／학생／ sinh viên
▶ 姉 ※硬い言い方	older sister (formal) ／大姐／누나, 오빠／ chị gái ※ cách nói cứng hơn	□ 先生	teacher ／老师／선생님／ giáo viên
□ 弟	little brother ／弟弟／남동생／ em trai	□ 会社	company ／公司／회사／ công ty
□ 妹	little sister ／妹妹／여동생／ em gái	□ 彼は会社員です。	He is a company employee. ／他是公司职员。／그는 회사원입니다．／ Anh ấy là nhân viên công ty.
□ 兄弟	siblings ／兄弟姐妹／형제／ anh chị em	□ 彼は医者をしています。（＝彼は医者です）	He is a doctor. ／他是医生。／그는 의사를 하고 있습니다／ Anh ấy làm bác sĩ.
□ 子ども	child ／孩子／아이／ con	□ （お）年は（お）いくつですか。	How old are you? ／您多大了？您多大年纪了？／나이는 몇입니까？／ Bạn bao nhiêu tuổi?
□ 赤ちゃん	baby ／婴儿、宝宝／아기／ đứa bé	□ （わたしは）21歳です。	I am 21 years old. ／我 21 岁了。／저는 21 살입니다／ Tôi 21 tuổi.
□ 男	man ／男的／남자／ đàn ông	□ 元気（な）	lively ／健康的、有活力的、有精神的／건강한, 활기 있는／ khoẻ mạnh
□ 女	woman ／女的／여자／ phụ nữ		

例文

① 彼女は 日本人です。
② 妹の 子どもは 男の子です。
③ おじは 医者を して います。
④ 「彼は 学生ですか。」「いいえ、会社員です。」
⑤ 「ペットは いますか。」「はい、犬が います。」

ドリル

正しい ものを 一つ えらびましょう。

1)
① (　　　) も 母も、学校で 先生を して います。
② 「(　　　) は いますか。」「はい、弟が います。」
③ あなたの (　　　) は 何さいですか。
④ わたしの (　　　) も 母に なりました。

| a. ちち | b. おとうさん | c. いもうと | d. かぞく | e. きょうだい |

2)
① わたしの (　　　) は 両親と 兄の 四人です。
② まりこおばさんは わたしの 父の (　　　) です。
③ わたしの おじいさんは 80歳ですが、(　　　) です。
④ 兄は 両親と (　　　) に 住んで います。

| a. かぞく | b. あね | c. おんな | d. いっしょ | e. げんき |

家族・人 ②

Family, Person ②／家人、人②／가족·사람 ②／ gia đình / người ②

□ 人（ひと）	person ／人／사람／ người	□ 日本語を 勉強します（する）	study Japanese ／学习日语／일본어를 공부하다／ học tiếng Nhật
□ 男の人（おとこ ひと）	man ／男人／남자／ đàn ông	□ 英語を 教えます（教える）	learn English ／教英语／영어를 가르치다／ dạy tiếng Anh
□ 女の人（おんな ひと）	woman ／女人／여자／ phụ nữ	□ 工場で はたらきます（はたらく）	work at a factory ／在工厂工作／공장에서 일하다／ làm việc ở nhà máy
□ 大人（おとな）	adult ／大人／어른／ người lớn	□ 公園で 遊びます（遊ぶ）	play at a park ／在公园玩／공원에서 놀다／ chơi ở công viên
□ 子ども（こ）	子ども child ／小孩／아이／ trẻ em	□ 海に 行きます	go to the beach ／上海去／바다에 가다／ ra biển
□ ～たち	an indicator of multiple individuals ／小孩子们／ ～들／ những ～	□ 失礼ですが	excuse me, but ／对不起...／실례입니다만／ xin lỗi nhưng
▶ わたしたち	us ／我们／우리들, 저희들／ chúng tôi		
▶ 子どもたち	the children ／孩子们／아이들／ lũ trẻ		
□ 友だち（とも）	friends ／朋友们／친구／ bạn bè		
□ たくさん	many ／很多／많이, 많음, 충분함／ nhiều		
□ みんな	everyone ／大家／모두／ các bạn		
□ みなさん	all of you (formal) ／各位／여러분／ các quý vị ※ cách nói lịch sự		
□ 自分（じぶん）	myself ／自己／자기／ bản thân mình		
□ 奥さん（おく）	your wife ／夫人、太太／부인／ vợ		
□ 学校（がっこう）	school ／学校／학교／ trường học		
□ クラス	class ／班／반, 클래스／ lớp học		
□ 大学（だいがく）	university ／大学／대학／ trường đại học		
□ 大学生（だいがくせい）	university student ／大学生／대학생／ sinh viên đại học		
□ 留学生（りゅうがくせい）	exchange student ／留学生／유학생／ lưu học sinh		
□ 名前（なまえ）	name ／名字／이름／ tên		
□ だれ	who ／谁／누구／ ai		

例文

① ジョンさんは **友だち**が **たくさん** います。

② わたしは さくら**大学**の 学生です。

③ 子ども**たち**は **公園**で **遊んで** います。

④ 「あの **男の人**は **だれ**ですか。」「わたしの 先生です。」

⑤ **みなさん**、よろしく お願いします。

ドリル

正しい ものを 一つ えらびましょう。

1)

① 明日、クラスの （　　　）で 海に 行きます。

② （　　　）は 1000円ですが、子どもは 300円です。

③ 彼は 友だちの チンさんです。（　　　）は 同じ 会社で 働いて います。

④ 「あの 女の人は （　　　）ですか。」「姉の 友だちです。」

a. だれ　　b. いくつ　　c. みんな　　d. わたしたち　　e. おとな

2)

① 「失礼ですが、お（　　　）は？」「田中です。」

② ガルシアさんの （　　　）は 日本人です。

③ たくさんの 留学生が 日本語を （　　　）して います。

④ 山田さんは えいごの （　　　）です。

a. せんせい　　b. おくさん　　c. こうじょう　　d. べんきょう　　e. なまえ

Unit 3 時間・時 ①
じかん とき
Time ①／时间、时候 ①／시간 · 때 ①／thời gian ①

今（いま）	now ／现在／지금／ bây giờ
朝（あさ）	morning ／早上／아침／ buổi sáng
昼（ひる）	afternoon ／中午／점심／ buổi trưa
夜（よる）	night ／夜里、晚上／밤／ buổi tối
晩（ばん）	evening ／晚上／저녁／ buổi tối
夕方（ゆうがた）	evening ／傍晚／저녁때／ buổi chiều
初め（はじ）	beginning ／开始／처음／ ban đầu
終わり（お）	end ／结束／끝／ kết thúc
いつ	when ／什么时候／언제／ khi nào
きょう	today ／今天／오늘／ hôm nay
きのう	yesterday ／昨天／어제／ hôm qua
おととい	two days ago ／前天／그저께／ hôm kia
明日（あした）	tomorrow ／明天／내일／ ngày mai
あさって	two days from today ／后天／모레／ ngày kia
今週（こんしゅう）	this week ／这周、这个星期／이번 주／ tuần này
先週（せんしゅう）	last week ／上周、上个星期／저번 주／ tuần trước
来週（らいしゅう）	next week ／下周、下个星期／다음 주／ tuần sau
今月（こんげつ）	this month ／这个月／이번 달／ tháng này
先月（せんげつ）	last month ／上个月／저번 달／ tháng trước
来月（らいげつ）	next month ／下个月／다음 달／ tháng sau
ことし	this year ／今年／올해／ năm nay
去年（きょねん）	last year ／去年／작년／ năm ngoái
おととし	two years ago ／前年／재작년／ năm kia
来年（らいねん）	next year ／明年／내년／ năm sau
けさ	this morning ／今早、今天上午／오늘 아침／ sáng nay
今晩（こんばん）	this evening ／今晚、今天晚上／오늘 밤／ tối nay
ゆうべ	last night ／傍晚／어제저녁／ tối hôm qua
午前（ごぜん）	AM ／上午／오전／ buổi sáng
午後（ごご）	PM ／下午／오후／ buổi chiều
時間（じかん）	time ／时间／시간／ thời gian
初めて（はじ）	the first time ／初次／처음／ lần đầu tiên
いつも	always ／总是／언제나／ lúc nào cũng
すぐに	immediately ／马上／금방, 곧／ ngay lập tức
後で（あと）	later ／过会儿／나중에／ sau
先に（さき）	in advance ／先／먼저／ trước
ときどき	sometimes ／常常／가끔／ thỉnh thoảng
もう	already ／已经／이미／ đã ～ rồi
まだ（～ません）	not yet (not ～ yet) ／还没…／아직 (～않습니다)／ chưa ～
会います（会う）（あ）	meet ／见面／만나다／ gặp
あります（ある）	have ／有／있다／ có
始めます（始める）（はじ）	begin ／开始／시작하다／ bắt đầu
言います（言う）（い）	say ／说／말하다／ nói
生まれます（生まれる）（う）	born ／出生／태어나다／ sinh ra
待ちます（待つ）（ま）	wait ／等／기다리다／ chờ đợi
ちょっと	a little ／一会儿、一点儿、一下／조금 , 잠깐／ một chút

例文

① **来週**、日本語の 試験が あります。
② 「**いつ** 京都へ 行きますか。」「**来月**の **初め**です。」
③ **今日**の **午後**、友だちに 会います。
④ **去年** わたしは 日本に 来ました。
⑤ **ちょっと** 待ってください。 **あとで** 電話します。

ドリル

正しい ものを 一つ えらびましょう。

1)

① わたしは （　　　）弟に 英語を 教えます。
② 「先生に もう 言いましたか。」「いいえ、（　　　）です。」
③ （　　　）子どもが 生まれます。
④ （　　　）も マリアさんに 会いました。

| a. 先に | b. まだ | c. ゆうべ | d. ときどき | e. 来月 |

2)

① 「（　　　）、彼と 会いますか。」「あさっての 昼です。」
② 先月、（　　　）スキーを しました。
③ 時間が ありません。（　　　）始めましょう。
④ 明日の （　　　）、カラオケに 行きませんか。

| a. すぐに | b. いつ | c. 初め | d. 初めて | e. 夜 |

Unit 4 　時間・時②
じかん・とき

Time②／时间、时候②／시간·때②／thời gian ②

語彙	訳	語彙	訳
□ 今、何時ですか。	What time is it right now?／现在几点了？／지금 몇 시입니까？／Bây giờ là mấy giờ	□ 今、12時ちょうどです。	It's exactly 12 right now.／现在正好12点。／지금 12시 정각입니다．／Bây giờ là 12 giờ đúng.
□ 7時ごろ 会社を 出ます（出る）	leave work at around 7／7点左右下班／7시 경에 회사를 나오다／ra khỏi công ty lúc khoảng 7 giờ	▶ 9時ちょうどに	At exactly 9／9点整／9시 정각에／vào lúc 9 giờ đúng
□ 8時すぎに 家に 着きます（着く）	arrive home after 8／8点后到家／8시 넘어서 집에 도착하다／hơn 8 giờ đến tới nhà	□ 授業が 始まります（始まる）	classes begin／上课／수업이 시작되다／giờ học bắt đầu
□ 今 2時半です	It is 2:30 right now.／现在两点半。／지금 2시 반입니다／Bây giờ là 2 giờ rưỡi.	□ 仕事が 終わります（終わる）	work ends／下班／일이 끝나다／việc làm kết thúc
□ 1時間 勉強します	study for an hour／学习一个小时／1시간 공부하다／học 1 tiếng đồng hồ	□ 今、8時くらいです。	It is around 8 right now.／现在8点来钟。／지금 8시 정도입니다．／Bây giờ là khoảng 8 giờ.
□ 1日 かかります（かかる）	take a day／需要一天／하루 걸리다／mất 1 ngày	□ 子どもの とき	during childhood／小时候／아이였을 때／lúc còn trẻ
□ 2週間 休みます（休む）	take a two week break／休息两周（两个星期）／2주간 쉬다／nghỉ 2 tuần	□ 子どもの ころ	around childhood／小时候／어릴 때／lúc còn trẻ
□ 1年間 旅行します（旅行する）	go on a trip for a year／旅行一年／1년간 여행하다／du lịch 1 năm	□ もうすぐ	soon／马上／이제 곧／sắp tới
□ ひと月 待ちます（待つ）	wait a month／等一个月／한 달 기다리다／chờ đợi 1 tháng	□ 誕生日 パーティー	birthday party／生日宴会／생일 파티／tiệc sinh nhật
□ 3か月 練習します（練習する）	practice for three months／练习三个月／3개월 연습하다／luyện tập 3 tháng	□ 休みの 日	day off／休息日／쉬는 날／ngày nghỉ
□ 2年 留学します（留学する）	study abroad for two years／留学两年／2년 유학하다／du học 2 năm	□ 夏休み	summer break／暑假／여름 방학／kì nghỉ hè
□ 一日中 家に います	stay at home all day／整个一天都在家／하루 종일 집에 있다／ở nhà cả ngày	□ トイレ／お手洗い	bathroom／厕所／화장실／nhà vệ sinh
□ 世界中を 旅行します	travel the world／周游世界／전 세계를 여행하다／du lịch khắp thế giới	□ コーヒーを 飲みます（飲む）	drink coffee／喝咖啡／커피를 마시다／uống cà phê
□ 今 食事 中です	I am eating right now.／现在正在吃饭。／지금 식사 중입니다／Bây giờ đang ăn cơm.		
□ 10時5分前です	It is 5 before 10.／差5分10点。／10시 5분 전입니다／10 giờ kém 5.		
□ 食事の 前に ～します	to ~ before eating／饭前做～／식사 전에 ~하다／~ trước khi ăn cơm		
□ 10分後に 電話します	call ten minutes later／10分中后打电话／10분 후에 전화하다／10 phút sau sẽ gọi điện thoại		
□ 食事の 後に ～します	to ~ after eating／饭后做～／식사 후에 ~하다／~ sau khi ăn cơm		

例文

① 「今、**何時**ですか。」「7時15分です。」
② 食事**中**は 電話を しないでください。
③ 3時**すぎ**に 家を **出ます**。
④ 明日は 妹の **誕生日**です。
⑤ 「今、何時ですか。」「**もうすぐ** 5時です。」

ドリル

正しい ものを 一つ えらびましょう。

1)
① 2時（　　　）買い物に 行きます。
② 東京まで 何時間（　　　）かかりますか。
③ 授業の （　　　）に トイレに 行きます。
④ 姉は 今、旅行（　　　）で、家に いません。

| a. すぎ | b. まえ | c. ごろ | d. ぐらい | e. ちゅう |

2)
① 食事の （　　　）で コーヒーを 飲みます。
② 7時（　　　）に パーティーを 始めます。
③ （　　　）の 日に 絵を かきます。
④ わたしが 学生の （　　　）、これは 1000円でした。

| a. あと | b. とき | c. やすみ | d. ちょうど | e. まえ |

Unit 5 天気
てんき
Weather ／天气／날씨／ thời tiết

□ 天気がいいです	The weather is nice. ／天气很好。／ 날씨가 좋습니다／ Trời đẹp.	□ 春 はる	spring ／春天／봄／ mùa xuân
▶ 天気が悪いです	The weather is bad. ／天气不好。／ 날씨가 나쁩니다／ Thời tiết xấu.	□ 夏 なつ	summer ／夏天／여름／ mùa hè
□ 今日は晴れです	It is clear today. ／今天晴天。／오늘은 맑습니다／ Hôm nay trời nắng.	□ 秋 あき	fall ／秋天／가을／ mùa thu
□ 今日はくもりです	It is cloudy today. ／今天阴天。／ 오늘은 흐립니다／ Hôm nay trời có mây.	□ 冬 ふゆ	winter ／冬天／겨울／ mùa đông
□ 空 そら	sky ／天空／하늘／ bầu trời	□ かさを さします(さす)	open an umbrella ／打伞／우산을 쓰다／ che ô
□ 雲 くも	cloud ／云／구름／ mây	□ エアコンを つけます	turn on the air conditioning ／打开空调／에어컨을 켜다／ bật máy điều hoà
□ 晴れます(晴れる)	clear ／晴／맑다／ nắng	□ ストーブ	heater ／炉子／난로／ máy sưởi
□ くもります(くもる)	cloudy ／阴／흐리다／ có mây	□ 家の外 いえ そと	outside the home ／屋外／집 밖／ ngoài nhà
□ 雨が降ります(降る)	to rain ／下雨／비가 내리다／ mưa	□ 家の中 いえ なか	inside the home ／屋里／집 안／ trong nhà
□ 雪が降ります(降る)	to snow ／下雪／눈이 내리다／ tuyết rơi	□ 散歩(します)(する)	to go on a walk ／散步／산책(하다)／ dạo phố
□ 風が吹きます(吹く)	the wind blows ／刮风／바람이 불다／ gió thổi		
□ 暑い あつ	hot ／热／덥다／ nóng		
□ 寒い さむ	cold ／冷／춥다／ lạnh		
□ 暖かい あたた	warm ／暖和／따뜻하다／ ấm		
□ 涼しい すず	cool ／凉爽／춥다／ mát		
□ 風が冷たい かぜ つめ	the wind is cold ／风很凉／바람이 차갑다／ Gió lạnh		
□ 風が強い かぜ つよ	the wind is weak ／风很大／바람이 강하다／ Gió mạnh		
□ 弱い よわ	weak ／弱／약하다／ yếu		
□ とても	very ／很／아주, 매우／ rất		
□ だんだん 暖かくなります あたた	get gradually warmer ／渐渐变暖和／점점 따뜻해지다／ càng ngày càng ấm		
□ もっと 寒いです さむ	colder ／更冷／더 춥다／ lạnh hơn nữa		

例文

① 今日は いい 天気ですね。

② 暑いですね。エアコンを つけましょう。

③ 空が くもって います。雨が 降る かもしれません。

④ 今、東京は 雪が 降って います。

⑤ 「まだ 降って いますか。」「ええ。でも、午後は 晴れるでしょう。」

ドリル

正しい ものを 一つ えらびましょう。

1)

① (　　　) ですか。 じゃ、ストーブを つけますね。

② 風が とても (　　　) ですから、かさは さしません。

③ 雨が (　　　) いますから、今日は 公園に 行きません。

④ 家の 外は 暑いですが、中は (　　　) です。

　　a. さむい　　b. すずしい　　c. つよい　　d. ふいて　　e. ふって

2)

① 明日は (　　　) が 降る かもしれません。

② 「寒く ありませんか。」「ええ。わたしの 国は (　　　) 寒いですから。」

③ 「もうすぐ 春ですね。」「ええ。(　　　) 暖かく なりますね。」

④ 「天気が いいから、少し (　　　) しましょうか。」「いいですね。」

　　a. しごと　　b. ゆき　　c. さんぽ　　d. もっと　　e. だんだん

Unit 1 ～ Unit 5 実戦練習

⏳ 15分でチャレンジ

問題1 （　）に 何を 入れますか。1～4から 1つ えらんで ください。

① きのうは すずしかったですが、きょうは（　　　）です。

　1　さむいです　　　2　あたたかい　　　3　あつい　　　4　つめたい

② わたしは 毎日 7時に 会社を（　　　）。

　1　かえります　　　2　つきます　　　3　いきます　　　4　でます

③ A「あした 遊びませんか。」
　 B「あしたは いそがしいですから、（　　　）が いいです。」

　1　きのう　　　2　あさって　　　3　おととい　　　4　けさ

④ チンさんは 日本語の（　　　）で 勉強して います。

　1　クラス　　　2　会社　　　3　工場　　　4　大学

⑤ わたしは（　　　）と 弟が います。兄弟に 女の人は いません。

　1　あね　　　2　あに　　　3　おねえさん　　　4　おにいさん

⑥ （　　　）テストが ありますから、毎日 3時間 勉強します。

　1　だんだん　　　2　もう　　　3　さきに　　　4　もうすぐ

⑦ 今年の（　　　）は 寒いですから、よく 雪が ふります。

　1　春　　　2　夏　　　3　秋　　　4　冬

⑧ この 仕事は 難しいですから、（　　　）かかります。

　1　3時半　　　2　3月ごろ　　　3　3か月ぐらい　　　4　3年すぎ

問題2 ＿＿＿の 文と だいたい 同じ いみの 文が あります。1～4から 1つ
えらんで ください。

① <u>ちちは いしゃです。</u>

　1　ちちは にほんごを おしえて います。
　2　ちちは だいがくで はたらいて います。
　3　ちちは びょういんで しごとを して います。
　4　ちちは まいにち かいしゃへ いきます。

② <u>あの ひと は わたしの おじです。</u>

　1　あの ひとは わたしの ははの ちちです。
　2　あの ひとは わたしの ちちの ちちです。
　3　あの ひとは わたしの ははの あねです。
　4　あの ひとは わたしの ちちの おとうとです。

③ <u>わたしは けさ コーヒーを のみました。</u>

　1　わたしは きのうの あさ コーヒーを のみました。
　2　わたしは きょうの あさ コーヒーを のみました。
　3　わたしは きのうの よる コーヒーを のみました。
　4　わたしは きょうの ひる コーヒーを のみました。

④ <u>きょうは あさから あめが ふって います。</u>

　1　きょうは あさから てんきが いいです。
　2　きょうは あさから くもって います。
　3　きょうは あさから てんきが わるいです。
　4　きょうは あさから かぜが つめたいです。

Unit 6 毎日の生活
まいにち せいかつ

Daily Life ／每天的生活／매일의 생활／cuộc sống hàng ngày

語彙	訳	語彙	訳
□ 7時に 起きます（起きる）	wake up at 7 ／7 点起床／7 시에 일어나다／thức dậy lúc 7 giờ	□ テレビを 見ます	watch television ／看电视／텔레비전을 보다／xem ti vi
□ 窓を 開けます	open a window ／打开窗户／창문을 열다／mở cửa sổ	□ 宿題を します（する）	do homework ／做作业／숙제를 하다／làm bài tập
□ 顔を 洗います	wash one's face ／洗脸／얼굴을 씻다／rửa mặt	□ 友だちと 話します	talk with friends ／跟朋友说／친구와 이야기하다／nói chuyện với bạn bè
□ ニュースを 見ます	watch the news ／看新闻／뉴스를 보다／xem thời sự	□ 服を 脱ぎます	take off clothes ／脱衣服／옷을 벗다／cởi áo
□ 新聞を 読みます	read the newspaper ／看报／신문을 읽다／đọc báo	□ シャワーを あびます（あびる）	take shower ／洗淋浴／샤워를 하다／tắm
□ 朝ごはんを 食べます	eat breakfast ／吃早饭／아침밥을 먹다／ăn sáng	□ おふろに 入ります	enter the bath ／洗澡／목욕을 하다／ngâm mình trong bồn nước nóng
□ 服を 着ます	wear clothes ／穿衣服／옷을 입다／mặc áo	□ 歯を みがきます（みがく）	brush teeth ／刷牙／이를 닦다／đánh răng
□ 窓を 閉めます	close a window ／关窗户／창문을 닫다／đóng cửa sổ	□ 電気を 消します	turn off lights ／关灯／전기를 끄다／tắt đèn
□ かぎを かけます	lock (a door) ／锁门／열쇠를 잠그다／khóa cửa	□ ベッドで 寝ます（寝る）	sleep in bed ／在床上睡觉／침대에서 자다／ngủ trên giường
□ 出かけます（出かける）	go out ／出门／나가다, 외출하다／đi ra ngoài	□ 洗たく（します）（する）	to do the laundry ／洗衣服／세탁을 (하다)／giặt giũ
▶ 仕事に 出かけます	go to work ／出去工作／일하러 가다／đi làm	□ そうじ（します）（する）	to clean ／打扫、扫除／청소를 (하다)／dọn dẹp
□ 駅まで 歩きます（歩く）	walk to the station ／走到火车站／역까지 걷다／đi bộ đến nhà ga	▶ へやを そうじします	clean a room ／打扫房间／방을 청소하다／dọn dẹp phòng
□ 仕事を やります（やる）	do work ／做工作／일을 하다／làm việc	□ ごみを 捨てます（捨てる）	throw away trash ／扔垃圾／쓰레기를 버리다／vứt rác
□ 昼ごはんを 食べます	eat lunch ／吃午饭／점심밥을 먹다／ăn trưa	□ 毎日 忙しいです	every day busy ／每天很忙／매일 바쁘다／mỗi ngày bận rộn
□ 家に 帰ります（帰る）	go home ／回家／집에 돌아가다／về nhà	□ 毎朝	every morning ／每天早上／매일 아침／mỗi sáng
□ 部屋が 暗いです	room is dark ／房间很暗／방이 어둡다／phòng tối	□ 毎晩	every evening ／每天晚上／매일 저녁／mỗi tối
□ 電気を つけます（つける）	turn on lights ／开灯／전기를 켜다／bật đèn	□ 毎週	every week ／每周、每个星期／매주／mỗi tuần
□ 明るい 部屋	bright room ／明亮的房间／밝은 방／căn phòng sáng	□ 毎月	every month ／每月、每个月／매달／mỗi tháng
□ 料理を 作ります	make food ／做饭／요리를 만들다／nấu ăn	□ 毎年	every year ／每年／매년／mỗi năm
□ ばんごはんを 食べます	eat dinner ／吃晚饭／저녁밥을 먹다／ăn tối		
□ 夕飯	dinner ／晚饭／저녁밥／bữa ăn tối		

例文

① 「わたしは **毎朝** 6時に **起きます**。」「早いですね。私は 7時です。」
② 姉は いつも 6時ごろに 家に **帰ります**。
③ 今日は 帰ってから **部屋を** そうじします。
④ 「わたしは いつも ゆっくり **おふろに 入ります**。」「わたしもです。」
⑤ **洗たく**を するのは 週に 2回くらいです。

ドリル

正しい ものを 一つ えらびましょう。

1)
① 部屋が 暗いから （　　　）を つけてください。
② 明日は 友だちの （　　　）へ 遊びに 行きます。
③ 「窓の （　　　）も かけましたか。」「はい、かけました。」
④ 出かける ときに （　　　）を 捨てます。

| a. うち　　b. かぎ　　c. でんき　　d. ごみ　　e. おふろ |

2)
① 父は （　　　） 新聞を 読みます。
② 寝る 前に 歯を（　　　）。
③ 家に 帰ってから 宿題を（　　　）。
④ （　　　） 金曜日に この ドラマを 見ます。

| a. つけます　　b. やります　　c. みがきます　　d. まいしゅう　　e. まいあさ |

Unit 7 レストラン

Restaurant ／餐馆／레스토랑／ nhà hàng

□ 店（みせ）	store ／店／가게／ cửa hàng
□ メニュー	menu ／菜单／메뉴／ thực đơn
□ 注文（します）（する）（ちゅうもん）	to order ／点菜／주문（하다）／ gọi món
▶ デザートを 注文します（ちゅうもん）	order a dessert ／点甜点／디저트를 주문（하다）／ gọi tráng miệng
▶ 注文を とります（とる）（ちゅうもん）	take an order ／点菜／주문을 받다／ nhận đặt món
□ 店員を 呼びます（呼ぶ）（てんいん）（よ）	call an employee ／叫店员／점원을 부르다／ gọi nhân viên phục vụ
□ 客（きゃく）	customer ／客人／손님／ khách hàng
□ テーブル	table ／桌子／테이블／ bàn
□ いす	chair ／椅子／의자／ ghế
□ 食事を します（する）（しょくじ）	to go eat ／吃饭／식사를 하다／ ăn cơm
□ ご飯を 食べます（食べる）（はん）（た）	eat a meal ／吃饭／밥을 먹다／ ăn cơm
□ ランチ	lunch ／午饭／런치／ bữa ăn trưa
□ 込みます（込む）（こ）（こ）	crowded ／拥挤／붐비다／ đông đúc
▶ 店が 込んでいます（みせ）（こ）	the store is crowded ／店里很拥挤（店里人很多）／가게가 붐비다／ cửa hàng đông
□ お会計を します（する）（かいけい）	to pay the bill ／结帐／계산을 하다 , 돈을 내다／ thanh toán
□ 料理（りょうり）	food ／菜／요리／ món ăn
□ 飲み物（の）（もの）	drink ／喝的／음료／ đồ uống
□ 食べ物（た）（もの）	food ／吃的／음식／ đồ ăn
□ スプーン	spoon ／汤勺／숟가락／ thìa
□ フォーク	fork ／叉子／포크／ nĩa
□ ナイフ	knife ／刀子／나이프／ dao
□ コップ	cup ／杯子／컵 , 잔／ cốc
□ グラス	glass ／玻璃杯／글라스／ ly
□ 皿（さら）	plate ／盘子／접시／ đĩa
□ 食器（しょっき）	tableware ／餐具／식기／ bát đĩa
□ はし	chopsticks ／筷子／젓가락／ đũa
□ 好き（な）（す）	favorite ／喜欢的／좋아하는／ thích
▶ トマトが 好きです（す）	like tomatoes ／喜欢西红柿／토마토를 좋아함／ thích cà chua
□ 嫌い（な）（きら）	disliked ／不喜欢的／싫어하는／ ghét
▶ トマトが 嫌いです（きら）	dislike tomatoes ／不喜欢西红柿／토마토가 싫다／ ghét cà chua
□ 甘い（あま）	sweet ／甜／달다／ ngọt
□ 辛い（から）	spicy; salty ／辣／맵다／ cay
□ にがい	bitter ／苦／쓰다／ đắng
□ すっぱい	sour ／酸／시다／ chua
□ おいしい	delicious ／好吃／맛있다／ ngon
□ まずい	unappetizing ／难吃、不好吃／맛없다／ dở

例文

① 12時から 1時は、レストランが **込んでいます**。

② **店員を 呼ぶ** ときは、「すみません。」と 言います。

③ この **料理**は **ナイフ**と **フォーク**で 食べてください。

④ **辛い** 料理は、あまり 好きではありません。

⑤ この スープは、**すっぱい**ですが、**おいしい**です。

ドリル

正しい ものを 一つ えらびましょう。

1)

① 毎晩、かぞく みんなで （　　　）を する。

② レジで （　　　）を する。

③ レストランで （　　　）を 洗う アルバイトを して います。

④「今日も 込んで いますね。すぐに （　　　）しましょう。」

| a. 会計 | b. 注文 | c. 食事 | d. 飲み物 | e. 皿 |

2)

① （　　　）の 上に、メニューが 置いて あります。

② （　　　）に 水を 入れて、持って 行って ください。

③ 食事の 後で、（　　　）を 食べましょう。

④ 今日の （　　　）は そばと おにぎりでした。

| a. デザート | b. ランチ | c. コップ | d. テーブル | e. スプーン |

Unit 8 食べ物・飲み物
たもの のもの

Food, Drink ／吃的、喝的／음식・음료／đồ ăn, đồ uống

☐ (お)水 みず	water ／水／물／nước		☐ たまご	egg ／鸡蛋／계란／ trứng
☐ お茶 ちゃ	(green) tea ／茶／차／ trà		☐ やさい	vegetable ／蔬菜／야채／ rau củ
☐ コーヒー	coffee ／咖啡／커피／ cà phê		☐ くだもの	fruit ／水果／과일／ trái cây
☐ こう茶 ちゃ	black tea ／红茶／홍차／ hồng trà		☐ チーズ	cheese ／奶酪／치즈／ pho mát
☐ ジュース	juice; soft drink ／果汁／쥬스／ nước ngọt		☐ カレー	curry ／咖喱／카레／ cà ri
☐ スープ	soup ／汤／스프／ súp, canh		☐ (お)すし	sushi ／寿司／초밥／ sushi
☐ (お)さけ	alcohol ／酒／술／ rượu		☐ さしみ	sashimi ／生鱼片／회／ gỏi cá
☐ ビール	beer ／啤酒／맥주／ bia		☐ てんぷら	tempura ／天妇罗／튀김／ món tẩm bột chiên
☐ ワイン	wine ／葡萄酒／와인／ rượu vang		☐ うどん	udon ／面条、乌冬面／우동／ mì udon
☐ お湯を わかします ゆ (わかす)	boil water ／烧水／물을 끓이다／ đun sôi nước		☐ そば	soba ／荞麦面／메밀국수／ mì soba
☐ ぎゅうにゅう	cow's milk ／牛奶／찻주전자／ sữa bò		☐ おにぎり	rice ball; onigiri ／饭团／주먹밥／ cơm nắm
☐ ミルク	milk ／奶／우유／ sữa		☐ みそしる	miso soup ／酱汤／된장국／ canh tương
☐ 食べ物 た もの	food ／食物、吃的／음식／ đồ ăn		☐ (お)べんとう	prepared lunch ／盒饭、便当／도시락／ cơm hộp
☐ ごはん	(cooked) rice ／饭／밥／ cơm		☐ さとう	sugar ／糖／설탕／ đường
☐ (お)米 こめ	rice ／米／쌀／ cơm		☐ しお	salt ／盐／소금／ muối
☐ パン	bread ／面包／빵／ bánh mì		☐ しょうゆ	soy sauce ／酱油／간장／ nước tương
☐ (お)にく	meat ／肉／고기／ thịt		☐ バター	butter ／黄油／버터／ bơ
☐ ぎゅうにく	beef ／牛肉／소고기／ thịt bò		☐ あぶら	oil ／油／기름／ dầu
☐ ぶたにく	pork ／猪肉／돼지고기／ thịt lợn		☐ おかし	candy; sweets ／点心／과자／ bánh kẹo
☐ とりにく	chicken ／鸡肉／닭고기／ thịt gà		☐ れいぞうこ	refrigerator ／冰箱／냉장고／ tủ lạnh
☐ さかな	fish ／鱼／생선／ cá			

例文

① すきな **食べ物**は、何ですか。

② 毎日、会社に **弁当**を 持って 行きます。

③ すみません、**お水**を ください。

④ **さしみ**は **しょうゆ**を 付けて 食べます。

⑤ このスープは、**やさい**と **鶏肉**で 作りました。

ドリル

正しい ものを 一つ えらびましょう。

1)

① 日本では、20歳から（　　　）を 飲んでも いいです。

② 薬を 飲む ときは、水か（　　　）で 飲んで ください。

③ （　　　）から、チーズや バターを 作ります。

④ これは、りんごの（　　　）です。

| a. 牛乳 | b. しお | c. お酒 | d. お湯 | e. ジュース |

2)

① この（　　　）は、100グラム 200円です。

② 朝は パンを 食べますが、昼と 夜は（　　　）を よく 食べます。

③ 毎日 1個、（　　　）を 食べて います。

④ この 町は 海の 近くですから、（　　　）を たくさん 売って います。

| a. 魚 | b. 油 | c. ご飯 | d. 卵 | e. 豚肉 |

Unit 9 こそあど

Ko-so-a-do

□ **これを** ください。	Please give me this. ／请给我这个。／이것을 주세요．／ Cho tôi cái này.
□ **それは** いくらですか。	How much is that? ／那个多少钱？／그것은 얼마입니까？／ Cái đó bao nhiêu tiền？
□ **あれは** 何ですか。	What is that? ／那是什么？／저것은 무엇입니까？／ Cái kia là cái gì？
□ **どれが** いいですか。	Which one do you want? ／哪个好？／어느 것이 좋습니까？／ Bạn thích cái nào？
□ どうぞ、**こちらへ**。	This way, please. ／这边请。／자 이쪽으로．／ Xin mời đi lối này.
□ **そちらは** 空いて いますか。	Are you open? ／那边空着吗？／그쪽은 비어 있습니까？／ Chỗ đó có trống không？
□ **あちらは** どなたですか。	Who is that over there? ／那是哪位？／저분은 누구십니까？／ Người kia là ai？
□ 家は **どちら**ですか。	Which is your home? ／你家在哪儿？／집은 어느 쪽입니까？／ Nhà bạn ở đâu？
□ **この** 本	this book ／这本书／이 책／ cuốn sách này
□ **その** 映画	that movie ／那部电影／그 영화／ bộ phim đó
□ **あの** ビル	that building ／那座楼／저 빌딩／ toà nhà kia
□ **どの** ビル？	which building? ／哪座楼？／어느 빌딩？／ toà nhà nào？
□ **ここに** 書いてください。	Please write here. ／请放在这里。／여기에 써 주세요．／ Hãy viết vào chỗ này.
□ **そこに** 置いてください。	Please put it there. ／请放在那里。／거기에 써 주세요．／ Hãy viết vào chỗ đó.
□ **あそこに** あります。	It is over there. ／在那里。／저기에 있습니다．／ Ở chỗ kia.
□ 今 **どこに** いますか。	Where are you right now? ／现在在哪儿？／지금 어디에 있습니까？／ Bây giờ bạn đang ở đâu？
□ **こっちに** 来てください。	Please come this way. ／请过来。／이 쪽으로 와 주세요．／ Xin hãy đến đây.
□ **そっちに** 行きます。	I'll go there. ／我过去。／그쪽으로 갑니다．／ Tôi đi đến đó.
□ **あっちに** 行きましょう。	Let's go over there. ／去那里吧。／저쪽으로 갑시다．／ Chúng ta đi chỗ kia đi.
□ 右と 左、**どっちに** 行きますか。	Left or right, which should we go? ／左还是右、走哪边？／오른쪽과 왼쪽 어느 쪽으로 가겠습니까？／ Bạn đi bên phải hay bên trái？
□ **この** 方が Aさんです。	This is A-san. ／这位就是A。／이 분이 A씨입니다．／ Người này là bạn A.
□ **その** 方が 私の 先生です。	That is my teacher. ／那位就是我老师。／그분이 제 선생님입니다．／ Người đó là giáo viên của tôi.
□ **あの** 方は どなたですか。	Who is that individual? ／那位是谁？／저 분은 누구십니까？／ Người kia là ai？
□ **どんな** 本ですか。	What kind of book is it? ／是什么样的书？／어떤 책입니까？／ Cuốn sách như thế nào？

例文
れいぶん

① 私の 家は、**あそこ** です。
② **その** 時計、いいですね。
③ 「トイレは **どこ**ですか。」「**こちら**です。」
④ 「お国は **どちら**ですか。」「タイです。」
⑤ 「**あの** 方は、どなたですか。」「私の 母です。」

ドリル

正しい ものを 一つ えらびましょう。

1)
① 田中さんの かばんは（　　　）ですか。
② （　　　）服は、いくらですか。
③ （　　　）は、地下鉄の 駅です。
④ （　　　）は、わたしの 日本語の 先生です。

| a. この | b. ここ | c. これ | d. ここのか | e. この方 |

2)
① 「（　　　）映画を 見ますか。」「これを 見ましょう。」
② 「夏と 冬、（　　　）が すきですか。」「冬が すきです。」
③ 「田中さんの 奥さんは、（　　　）方ですか。」「きれいな 方です。」
④ 「日曜日は （　　　）かへ 行きましたか。」「はい。デパートへ 行きました。」

| a. どの | b. どこ | c. どれ | d. どっち | e. どんな |

Unit 10 位置・方向
いち・ほうこう

Location, Direction ／位置、方向／위치・방향／ vị trí, phương hướng

□ つくえの **上**(うえ)	on top of the desk ／桌子上／책상 위／ trên bàn		□ **東**(ひがし)	east ／东／동／ đông
□ ベッドの **下**(した)	under the bed ／床下／침대 밑／ dưới giường		□ **西**(にし)	west ／西／서／ tây
□ **車**(くるま)の **前**(まえ)	in front of the car ／车前／차 앞／ trước ô tô		□ **南**(みなみ)	south ／南／남／ nam
□ **本**(ほん)だなの **うしろ**	behind the bookshelf ／书架后／책장 뒤／ sau giá sách		□ **北**(きた)	north ／北／북／ bắc
□ かばんの **中**(なか)	inside the bag ／书包里／가방 속／ trong túi		□ **右**(みぎ)	right ／右／오른쪽／ phải
□ **家**(いえ)の **外**(そと)	outside the house ／屋外／집 밖／ ngoài nhà		□ **左**(ひだり)	left ／左／왼쪽／ trái
□ ビルとビルの **間**(あいだ)	between building and building ／楼与楼之间／빌딩과 빌딩 사이／ giữa toà nhà và toà nhà		□ **川**(かわ)の **むこう**	the other side of the river ／河对面／강 건너편／ phía bờ sông bên kia
□ **駅**(えき)の **むかい**	across from the station ／火车站对面／역의 건너편／ đối diện nhà ga		□ この **道**(みち)の **先**(さき)	beyond this street ／这条路的前面／이 길의 앞／ phía trước của con đường này
□ **学校**(がっこう)の **となり**	next to the school ／学校旁边／학교 옆／ bên cạnh trường học		□ ビルの **上**(うえ)	the top of the building ／楼的上边／빌딩 위／ trên toà nhà
□ **駅**(えき)から **遠**(とお)い	far from the station ／离火车站很远／역에서 멀다／ xa nhà ga			
□ **駅**(えき)から **近**(ちか)い	close to the station ／离火车站很近／역에서 가깝다／ gần nhà ga			
□ **駅**(えき)の **近**(ちか)く	near the station ／火车站附近／역 근처／ gần nhà ga			
□ **駅**(えき)の **そば**	by the station ／火车站旁边／역 옆／ bên cạnh nhà ga			
□ ビルの **よこ**	beside the station ／楼旁／빌딩 옆／ bên cạnh toà nhà			

例文

① 私の 家の **むかい**は、スーパーです。
② スーパーの **となり**に、喫茶店が あります。
③ 喫茶店の **後ろ**は、公園です。
④ 公園の **横**に 川が あります。
⑤ 川の **先**に、橋が あります。

ドリル

正しい ものを 一つ えらびましょう。

1)
① 家の (　　　) に、車を とめないで ください。
②「あれ、消しゴムが ありません。」「いすの (　　　) に ありますよ。」
③ A駅と B駅の (　　　) に、新しい 駅を 作ります。
④ おきなわは 日本で いちばん (　　　) に あります。

| a. 間 | b. 外 | c. 下 | d. 南 | e. 前 |

2)
① ピアノの (　　　) に にもつを 置かないでください。
② さいふの (　　　) に、お金を 入れました。
③ 店の (　　　) にも テーブルが あります。
④ ここは 寒いですから、店の (　　　) の 席に しましょう。

| a. 左 | b. 中 | c. 外 | d. 上 | e. むこう |

Unit 6 ～ Unit 10 実戦練習

⏳ 15分でチャレンジ

問題1 （　）に 何を 入れますか。1～4から 1つ えらんで ください。

① さとうを たくさん 入れましたから、りょうりが （　　　）なりました。

1　にがく　　　　　2　すっぱく　　　　　3　からく　　　　　4　あまく

② すみません、えきは （　　　）ですか。

1　どの　　　　　　2　どなた　　　　　　3　どっち　　　　　4　どんな

③ わたしの 家の（　　　）に、びょういんが あります。

1　前　　　　　　　2　間　　　　　　　　3　外　　　　　　　4　中

④ 毎日、会社まで （　　　）行きます。

1　出かけて　　　　2　歩いて　　　　　　3　来て　　　　　　4　帰って

⑤ 毎朝、（　　　）を 飲んでいます。

1　パン　　　　　　2　ぎゅうにゅう　　　3　さとう　　　　　4　やさい

⑥ テーブルの（　　　）に かばんを 置かないで ください。

1　遠い　　　　　　2　むかい　　　　　　3　西　　　　　　　4　上

⑦ （　　　）を 3まい 持ってきて ください。

1　おはし　　　　　2　おさら　　　　　　3　コップ　　　　　4　フォーク

⑧ レストランで さしみと そばを （　　　）しました。

1　注文　　　　　　2　食べ物　　　　　　3　料理　　　　　　4　食器

問題2 ＿＿＿の 文と だいたい 同じ いみの 文が あります。1〜4から 1つ えらんで ください。

① こうえんの そばに がっこうが あります。

1 がっこうは こうえんの なかです。
2 がっこうは こうえんの そとです。
3 がっこうは こうえんの ちかくです。
4 がっこうは こうえんの むこうです。

② いつ しょくじを しますか。

1 いつ ねますか。
2 いつ ごはんを 食べますか。
3 いつ ごみを すてますか。
4 いつ しごとを やりますか。

③ あちらは どなた ですか。

1 あれは いくらですか。
2 あっちは なんですか。
3 あそこは なんですか。
4 あの 人は だれですか。

④ デパートは こんでいます。

1 デパートは ありません。
2 デパートは ひとが おおいです。
3 デパートは たのしいです。
4 デパートは ここから とおいです。

Unit 11 服・くつ
ふく

Clothes, Shoes ／服装、鞋／옷・신발／ quần áo, giày

□ 服を 着ます(着る) ふく き	wear clothes ／穿衣服／옷을 입다／ mặc áo		□ 下着 したぎ	underwear ／内衣／속옷／ quần áo lót
□ 服を ぬぎます(ぬぐ) ふく	take off clothes ／脱衣服／옷을 벗다／ cởi áo		□ 黒い くつした くろ	black socks ／黑色袜子／검은 양말／ tất màu đen
□ ズボンを はきます (はく)	wear pants ／穿裤子／바지를 입다／ mặc quần		□ 茶色い くつ ちゃいろ	brown shoes ／茶色鞋／갈색 신발／ giày màu nâu
▶スカートを はきます	put on a skirt ／穿裙子／치마를 입다／ mặc váy		□ スーツ	suit ／西服套装／양복／ áo vest
▶くつを はきます	put on shoes ／穿鞋子／신발을 신다／ đi giày		□ 着物 きもの	kimono ／和服／기모노 (일본 전통 의상)／ áo kimono
□ ぼうしを かぶります (かぶる)	wear a hat ／戴帽子／모자를 쓰다／ đội mũ		□ 大きい かばん おお	large bag ／大书包／큰 가방／ túi to
▶ぼうしを とります(とる)	take off a hat ／摘帽子／모자를 벗다／ cởi mũ		□ 小さい ボタン ちい	small buttons ／小扣子／작은 단추／ cái cúc nhỏ
□ ネクタイを しめます (しめる)	tie a necktie ／系领带／넥타이를 매다／ thắt cà vạt		□ ポケットが ついて います	It has pockets. ／带兜儿／주머니가 달려 있습니다／ Có gắn cái túi.
▶ネクタイを します(する)	wear a necktie ／戴领带／넥타이를 하다／ thắt cà vạt		□ 長い コート なが	long coat ／长大衣／긴 코트／ áo khoác dài
□ ゆびわを つけます (つける)	put a ring on ／戴戒指／반지를 끼다／ đeo nhẫn		□ 短い スカート みじか	short skirt ／短裙子／짧은 치마／ váy ngắn
▶ゆびわを します(する)	wear a ring ／戴戒指／반지를 끼다／ đeo nhẫn		□ かわいい ぼうし	cute hat ／可爱的帽子／귀여운 모자／ mũ dễ thương
□ 時計を つけます とけい (つける)	put on a watch ／戴手表／시계를 차다／ đeo đồng hồ		□ 色 いろ	color ／颜色／색／ màu sắc
□ めがねを かけます (かける)	wear glasses ／戴眼镜／안경을 쓰다／ đeo kính			
□ 上着 うわぎ	coat ／上衣／웃옷／ áo khoác			
□ 青い シャツ あお	blue shirt ／蓝色衬衣／파란 셔츠／ áo sơ mi màu xanh			
□ 白い Tシャツ しろ	white T-shirt ／白色T恤／흰 T셔츠／ áo sơ mi màu trắng			
□ 赤い セーター あか	red sweater ／红色毛衣／빨간 스웨터／ áo len màu đỏ			
□ ジーンズ	jeans ／牛仔裤／청바지／ quần jean			
□ スニーカー	sneakers ／运动鞋／운동화／ giày thể thao			

例文

① 彼女は いつも かわいい **服**を **着て** います。

② ここで **くつ**を **ぬいで** ください。

③ 父は **ネクタイ**を たくさん **持って** います。

④ 青い **ぼうし**を **かぶって** いる 人が さくらさんです。

⑤ 「この コートは ちょっと **長い**ですね。**短い**のは ありますか。」

ドリル

正しい ものを 一つ えらびましょう。

1)

① 田中さんは いつも スカートを (　　　) います。

② めがねを (　　　)、顔を 洗います。

③ 日本では、くつを (　　　) 家に 入ります。

④ 青い ネクタイを (　　　) いる 人が、森さんです。

| a. かぶって | b. とって | c. はいて | d. して | e. ぬいで |

2)

① 会社へ 行く ときは、(　　　) を 着ます。

② 今日は 寒いので、(　　　) を 着ました。

③ 女の人は スカートも はきますが、男の人は (　　　) しか はきません。

④ さんぽを する ときは、(　　　) を はきます。

| a. セーター | b. スーツ | c. Tシャツ | d. ズボン | e. スニーカー |

Unit 12 買い物(かいもの)
Shopping ／买东西／쇼핑／ mua sắm

□ コンビニ	convenience store ／便利店／편의점／ cửa hàng tiện lợi
□ スーパー	supermarket ／超市／슈퍼마켓／ siêu thị
□ デパート	department store ／百货店／백화점／ cửa hàng bách hoá
□ 買(か)い物(もの)(します)(する)	to go shopping ／买东西／쇼핑 (하다)／ mua sắm
□ 本(ほん)を 買(か)います(買(か)う)	buy a book ／买书／책을 사다／ mua sách
□ さいふ	purse; wallet ／钱包／지갑／ ví tiền
□ レジ	cash register ／收款机／계산대／ máy thanh toán tiền
□ お金(かね)を 払(はら)います(払(はら)う)	pay money ／交钱／돈을 내다／ trả tiền
□ おつりを もらいます	receive change ／找钱／거스름돈을 받다／ nhận tiền thừa
□ 店(みせ)が 開(あ)きます(開(あ)く)	store opens ／开店／가게를 열다／ cửa hàng mở
□ 店(みせ)が 閉(し)まります(閉(し)まる)	store closes ／关店／가게를 닫다／ cửa hàng đóng
□ 商品(しょうひん)を 売(う)ります(売(う)る)	sell products ／卖商品／상품을 팔다／ bán hàng hoá
□ 商品(しょうひん)が 売(う)れます(売(う)れる)	products are sold ／商品畅销／상품이 팔리다／ hàng hoá được bán
□ 値段(ねだん)	price ／价格／가격／ giá
□ サービス(します)(する)	to give away; to provide a service ／服务／서비스 (하다)／ dịch vụ
▶ 無料(むりょう)の サービス	a free service ／无偿服务／무료 서비스／ dịch vụ miễn phí
□ 安(やす)い	cheap ／便宜／싸다／ rẻ
□ 高(たか)い	expensive ／贵／비싸다／ đắt
□ 新(あたら)しい	new ／新／새롭다／ mới
□ 古(ふる)い	old ／旧／오래되다／ cũ
□ (クレジット)カード	credit card ／信用卡／신용카드／ thẻ tín dụng

例文

① 駅の そばの **デパート**で、よく **買い物を** します。

② あの 店は 10時に **開きます**。

③ 暑い 日は、ビールが よく **売れます**。

④ この 食堂では、先に お金を **払います**。

⑤ この **商品**は 少し **安い**です。

ドリル

正しい ものを 一つ えらびましょう。

1)

① 家に (　　　) を 忘れて、困りました。

② この スーパーは、(　　　) で 袋を くれます。

③ 「(　　　) が わかりません。これは、いくらですか。」

④ 「980円です。・・・1000円から ですね。(　　　) は 20円です。」

| a. おつり | b. 値段 | c. 無料 | d. 商品 | e. さいふ |

2)

① (　　　) は、24時間 開いて います。

② じゃ、これを 買います。(　　　) は どこですか。

③ あの 店は、月曜日は コーヒーを (　　　) してくれます。

④ お金が なかったので、(　　　) で 払いました。

| a. レジ | b. コンビニ | c. サービス | d. デパート | e. カード |

Unit 13 数量・程度
Quantity, Degree ／数量、程度／수량・정도／số lượng, mức độ

□ 少し わかります	understand a little ／明白一点儿／조금 알다／ hiểu một chút
□ ちょっと 難しいです	somewhat difficult ／有点儿难／조금 어렵다／ hơi khó
□ たいへん 重いです	extremely heavy ／非常重／무척 무겁다／ rất nặng
□ とても 軽いです	very light ／很轻／무척 가볍다／ rất nhẹ
□ すごく おいしいです	very tasty ／非常好吃／아주 맛있다／ rất ngon
□ だいたい わかります	mostly understand ／大体上明白／대충 알다／ đại khái hiểu
□ たくさん 食べます	eat a lot ／吃很多／많이 먹다／ ăn nhiều
□ たくさんの おかし	lots of candy ／很多的点心／많은 과자／ nhiều bánh kẹo
□ 人が 多いです	many people ／人很多／사람이 많다／ nhiều người
□ 人が 少ないです	few people ／人很少／사람이 적다／ ít người
□ 人が 大勢います	a crowd of people ／人非常多／사람이 많이 있다／ đông người
□ 一番 好きです	favorite ／最喜欢／가장 좋아함／ thích nhất
□ 全部 ほしいです	want them all ／都要／전부 갖고 싶다／ muốn tất cả
□ 半分 食べます	eat half ／吃一半／반을 먹다／ ăn nửa
□ もっと 暑いです	hotter ／更热／더 덥다／ nóng hơn nữa
□ もう 少し ほしいです	want a little more ／再要一点儿／좀 더 원하다／ muốn thêm chút nữa
□ もう ちょっと 右です	a ltitle more to the right ／再往右点儿／좀 더 오른쪽／ phía phải một chút nữa
□ ちょうど 10こ あります	I have exactly ten. ／正好有 10 个／딱 10 개 있다／ Có đúng 10 cái.
□ ゆっくり 話してください	Please speak slowly. ／请慢慢说／천천히 말해 주세요／ Hãy nói chậm lại.
□ よく その 店に 行きます	go to that store often ／常去那家店／자주 그 가게에 가다／ thường xuyên đi cửa hàng đó
□ ときどき 彼に 会います	meet him occasionally ／有时见他／가끔 그와 만나다／ thỉnh thoảng gặp anh ấy
□ そうじや 洗濯などを します	clean, do laundry, and more ／打扫卫生啦洗衣服／청소나 빨래 등을 하다／ làm những việc như dọn dẹp và giặt giũ
□ 1つずつ 買います	buy one each ／一个一个地买／하나씩 사다／ mua mỗi 1 cái
□ 1杯だけ 飲みます	have just one drink ／只喝一杯／한 잔만 마시다／ chỉ uống 1 cốc
□ 私だけ 女性です	I am the only woman. ／只我是女的／나만 여성입니다 . ／ Chỉ có tôi là phụ nữ.
□ あまり おいしくないです	not very tasty ／不太好吃／그다지 맛있지 않다／ không ngon lắm

例文

① 今日は **少し** 寒いです。

② パンを **たくさん** 買いました。

③ **全部** 覚えました。

④ **もう少し ゆっくり** 歩いて ください。

⑤ 「その 店には **よく** 行きますか。」「はい。昨日も 行きました。」

ドリル

正しい ものを 一つ えらびましょう。

1)

① わたしは 英語が (　　　) わかります。

② 部屋の 中に (　　　) の ごみが あります。

③ 店の 前に 人が (　　　) います。

④ きのう (　　　) 1万円の めがねを 買いました。

| a. ちょうど | b. 全部 | c. 少し | d. 大勢 | e. たくさん |

2)

① 学校の 近くに レストランや スーパー (　　　) が あります。

② 忙しいですから、朝ごはんは パンと たまご (　　　) 食べます。

③ お皿に チーズを 三つ (　　　) 置いて ください。

④ 「今日は この 冬で (　　　) 寒いですね。」「そうですね。」

| a. 一番 | b. 半分 | c. など | d. ずつ | e. だけ |

Unit 14 町・交通①
まち・こうつう

Town, Transportation ①／街、交通①／거리・교통①／thành phố, giao thông ①

□ 銀行（ぎんこう）	bank ／银行／은행／ngân hàng
□ 郵便局（ゆうびんきょく）	post office ／邮局／우체국／bưu điện
▶ ポスト	postbox ／邮箱／우체통／hộp thư
□ 病院（びょういん）	hospital ／医院／병원／bệnh viện
□ 警察（けいさつ）	police ／警察／경찰／cảnh sát
□ 交番（こうばん）	police box ／派出所／파출소／sở cảnh sát
▶ 警官（けいかん）／おまわりさん	policeman ／民警／순경／cảnh sát
□ ホテル	hotel ／饭店、旅馆／호텔／khách sạn
□ 大使館（たいしかん）	embassy ／大使馆／대사관／đại sứ quán
□ 図書館（としょかん）	library ／图书馆／도서관／thư viện
□ 映画館（えいがかん）	movie theater ／电影院／영화관／rạp chiếu phim
▶ 映画（えいが）を見（み）ます	watch a movie ／看电影／영화를 보다／xem phim
▶ チケット	ticket ／票／티켓／vé
□ 美術館（びじゅつかん）	museum ／美术馆／미술관／bảo tàng mỹ thuật
▶ 絵（え）を見（み）ます	see paintings ／看画／그림을 보다／xem tranh
□ 食堂（しょくどう）	cafeteria ／食堂、小饭馆儿／식당／căn tin
□ 喫茶店（きっさてん）	café ／茶店／커피숍／quán cà phê
□ カフェ	café ／咖啡店／카페／quán cà phê
□ ～屋（や）	indicator for a store ／～店／~ 가게／cửa hàng bán ~
□ 本屋（ほんや）	bookstore ／书店／책가게／hiệu sách
□ パン屋（や）	bakery ／面包店／빵가게／cửa hàng bán bánh mì
□ 肉屋（にくや）	butcher ／肉店／정육점／cửa hàng bán thịt
□ 魚屋（さかなや）	fish dealer ／鱼店／생선가게／cửa hàng bán cá
□ 八百屋（やおや）	greengrocer ／菜店／채소가게／cửa hàng bán rau
□ 薬屋（くすりや）	pharmacy ／药店／약국／hiệu thuốc
□ 花屋（はなや）	florist ／花店／꽃가게／cửa hàng bán hoa
□ 神社（じんじゃ）	shrine ／神社／신사／đền
□ 寺（てら）	temple ／寺院／절／chùa
□ 地図（ちず）	map ／地图／지도／bản đồ
□ 所（ところ）	place ／地方、场所／곳／nơi chốn
□ 町（まち）	town ／街、镇／거리, 도시, 읍 (행정 구역상 단위) ／thành phố
□ 村（むら）	village ／村／마을・촌 (행정 구역상 단위) ／làng
□ にぎやか（な）	bustling ／繁华的、热闹的／번화함 , 와자지껄함／náo nhiệt

例文

① **郵便局**に 行って、家族に 荷物を 送ります。

② デパートの 中には、**本屋**や **花屋**も あります。

③ 「**美術館**は どっちですか。」「わかりません。**地図**を 見ましょう。」

④ 「あそこに **交番**が ありますよ。」「そうですね。あそこで 聞きましょう。」

⑤ ここは いつも **にぎやか**で、人が 多いです。

ドリル

正しい ものを 一つ えらびましょう。

1)

① (　　　　)へ、絵を 見に 行きます。

② 大学の (　　　　)で、カレーを 食べました。

③ 昨日、(　　　　)で 本を 3冊 借りました。

④ 熱が ありますから、(　　　　)へ 行きます。

| a. 美術館 | b. 大使館 | c. 図書館 | d. 病院 | e. 食堂 |

2)

① 京都へ 行くとき、いつも この (　　　　)を 使います。

② 手紙を 出したいです。(　　　　)は どこですか。

③ 映画の (　　　　)が 2枚 あります。一緒に 行きませんか。

④ コーヒーが おいしいですから、この (　　　　)には、よく 来ます。

| a. ポスト | b. パン屋 | c. チケット | d. ホテル | e. カフェ |

Unit 15 町・交通②
まち こうつう

Town, Transportation ②／街、交通②／거리·교통②／thành phố, giao thông ②

□ 電車 でんしゃ	train ／电车／전철／tàu điện
▶ 特急 とっきゅう	limited express ／特快／특급／tàu tốc hành
▶ 新幹線 しんかんせん	bullet train; shinkansen ／新干线、高铁／신칸센／tàu cao tốc shinkansen
□ 地下鉄 ちかてつ	subway ／地铁／지하철／tàu điện ngầm
□ 車 くるま	car ／车／차／ô tô
▶ 自動車 じどうしゃ	automobile ／汽车／자동차／ô tô
□ バス	bus ／公共汽车／버스／xe buýt
□ タクシー	taxi ／出租车／택시／tắc xi
□ 自転車 じてんしゃ	bicycle ／自行车／자전거／xe đạp
□ オートバイ	motorcycle ／摩托车／오토바이／xe máy
▶ バイク	motorbike ／摩托车／바이크／xe máy
□ 飛行機 ひこうき	airplane ／飞机／비행기／máy bay
▶ 空港 くうこう	airport ／机场／공항／sân bay
□ 船 ふね	ship ／船／배／tàu thuỷ

□ ～に 乗ります(乗る) の の	to get on a ~ ／乘～／~을／를 타다／lên ~
□ ～を 降ります(降りる) お お	to get off a ~ ／下～／~을／를 내리다／xuống ~
□ 細い 道を 通ります(通る) ほそ みち とお とお	go through a narrow street ／通过一条细窄的路／좁은 길을 지나가다／đi đường nhỏ
□ まっすぐ 行きます い	go straight ／一直往前走／똑바로 가다／đi thẳng
□ 角を 曲がります(曲がる) かど ま ま	turn a corner ／在拐角处拐／모퉁이를 돌다／rẽ ở góc đường
□ 交差点 こうさてん	intersection ／十字路口、交叉点／교차로／ngã tư
□ 信号 しんごう	traffic light ／信号／신호／đèn giao thông
□ 橋を 渡ります(渡る) はし わた わた	cross a bridge ／过桥／다리를 건너다／qua cầu
□ バイクが 止まります (止まる) と と	motorcycle stops ／摩托车停下／바이크가 멈추다／xe máy dừng lại
□ バス 乗り場 の ば	bus stop ／公共汽车站／버스 승강장／trạm xe buýt
□ 電車の ホーム でんしゃ	train platform ／电车的站台／전철 홈／sân ga tàu điện

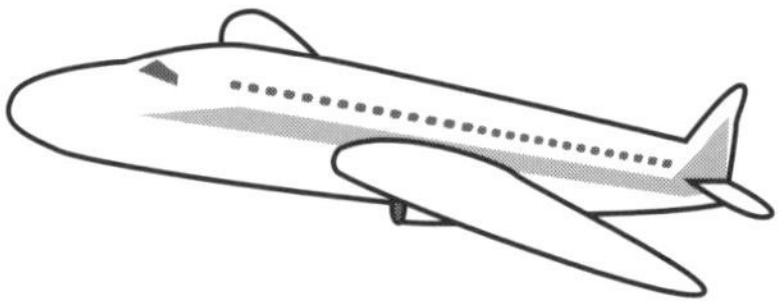

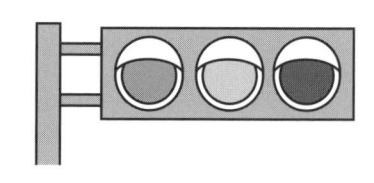

例文

① 駅まで 自転車で 行って、それから **電車に 乗ります**。

② 電車を **降りて**、すぐに 電話を しました。

③ 4番**ホーム**の 電車は、京都には **止まりません**。

④ **信号**が 赤に なって、**バス**が **止まりました**。

⑤ 近くの **駅**まで お願いします。

ドリル

正しい ものを 一つ えらびましょう。

1)

① すみません。バス（　　　）は、どこですか。

② あの（　　　）に、コンビニが ありますよ。

③ わたしは つぎの（　　　）で 電車を 降ります。

④ （　　　）を 買ってから、電車に 乗ります。

| a.角 | b.船 | c.切符 | d.乗り場 | e.駅 |

2)

① 公園は 川の むこうですから、この 橋を（　　　）。

② 雪の 日は、ときどき 電車が（　　　）。

③ 夜 帰る ときは この 道を（　　　）。

④ 駅から 大学まで 30分くらい バスに（　　　）。

| a.渡ります | b.止まります | c.降ります | d.乗ります | e.通ります |

Unit 11 〜 Unit 15 実戦練習(じっせんれんしゅう)

⏳ 15分でチャレンジ

問題1 （　）に 何を 入れますか。1〜4から 1つ えらんで ください。

① 車が 少ないですから、いつも この 道を （　　）行きます。
　1 おりて　　　2 わたって　　　3 とまって　　　4 とおって

② 部屋の 中では、ぼうしを （　　）ましょう。
　1 とり　　　2 しめ　　　3 き　　　4 はき

③ この （　　）は とても 静かです。
　1 戸　　　2 色　　　3 町　　　4 まど

④ 去年の なつは ことしより （　　）暑かったです。
　1 たくさん　　　2 たいへん　　　3 もう　　　4 もっと

⑤ 田中さんは、今日は （　　）スカートを はいて います。
　1 暑い　　　2 長い　　　3 甘い　　　4 まずい

⑥ あそこの レジで お金を （　　）ください。
　1 払って　　　2 売って　　　3 買って　　　4 しく

⑦ 夕方、（　　）へ 犬の さんぽに 行きます。
　1 びょういん　　　2 ゆうびんきょく　　　3 えいがかん　　　4 こうえん

⑧ 川の むこうに 行く ときは、いつも この （　　）を 渡ります。
　1 道　　　2 角　　　3 橋　　　4 店

問題2 ＿＿＿＿の 文と だいたい 同じ いみの 文が あります。1～4から 1つ えらんで ください。

① おみせは まいあさ 10じに あきます。

 1 おみせは ごご 10じからです。
 2 おみせは ごご 10じまでです。
 3 おみせは ごぜん 10じからです。
 4 おみせは ごぜん 10じまでです。

② しろい ズボンの ひとが せんせいです。

 1 せんせいは しろい ズボンを かぶって います。
 2 せんせいは しろい ズボンを しめて います。
 3 せんせいは しろい ズボンを つけて います。
 4 せんせいは しろい ズボンを はいて います。

③ きのうは とても さむかったです。

 1 きのうは たいへん さむかったです。
 2 きのうは だいたい さむかったです。
 3 きのうは ちょうど さむかったです。
 4 きのうは もっと さむかったです。

④ こうばんで みちを ききました。

 1 コンビニで みちを ききました。
 2 しょくどうで みちを ききました。
 3 おまわりさんに みちを ききました。
 4 おてらの ひとに みちを ききました。

Unit 16 家・建物
いえ・たてもの
Home, Buildings ／房屋、建筑／집·건물／nhà, toà nhà

□ わたしの うち	my home ／我家／우리 집／nhà tôi	□ 壁(かべ)	wall ／墙壁／벽／tường
□ 広い 部屋(ひろい へや)	spacious room ／大房间／넓은 방／căn phòng rộng	□ ドア	door ／门／문／cửa
□ せまい 台所(だいどころ)	cramped kitchen ／窄小的厨房／좁은 부엌／căn phòng bếp hẹp	□ 戸(と)	(Japanese-style) door ／门／문／cửa
□ トイレ／お手洗い(てあらい)	toilet ／厕所／화장실／nhà vệ sinh	□ 窓(まど)	window ／窗户／창문／cửa sổ
□ 家の 玄関(いえの げんかん)	home entrance ／家门口／집의 현관／cửa ra vào nhà	□ 本棚を 置きます(ほんだなを おきます)	place a bookshelf ／放书架／책장을 놓다／đặt giá sách
□ 門(もん)	gate ／门／문／cổng	□ テーブル	table ／桌子／테이블／bàn
□ 入口(いりぐち)	entrance ／入口／입구／lối vào	□ いす	seat ／椅子／의자／ghế
□ 出口(でぐち)	exit ／出口／출구／lối ra	□ ベッド	bed ／床／침대／giường
□ ろうか	hallway ／走廊／복도／hành lang	□ スリッパ	slippers ／拖鞋／슬리퍼／dép
□ 階段を 上がります(かいだんを あがります)（上がる）	ascend stairs ／上楼／계단을 오르다／lên cầu thang	□ 冷蔵庫(れいぞうこ)	refrigerator ／冰箱／냉장고／tủ lạnh
□ 階段を 下ります(かいだんを おります)（下りる）	descend stairs ／下楼／계단을 내려가다／xuống cầu thang	□ エアコン	air conditioner ／空调／에어컨／máy điều hoà
□ エレベーターに 乗ります(のります)（乗る）	enter an elevator ／坐电梯／엘리베이터를 타다／lên thang máy	□ きれいな 庭(にわ)	beautiful yard; beautiful garden ／漂亮的院子／예쁜 정원／khu vườn đẹp
□ エレベーターを 降ります(おります)（降りる）	exit an elevator ／下电梯／엘리베이터를 내리다／xuống thang máy	□ 建物(たてもの)	building ／建筑物／건물／toà nhà
□ エレベーターで 上がります(あがります)	go up in an elevator ／坐电梯上去／엘리베이터로 올라가다／lên bằng thang máy	□ ビル	building ／楼／빌딩／toà nhà
□ エレベーターで 降ります(おります)	go down in an elevator ／坐电梯下去／엘리베이터로 내려가다／xuống bằng thang máy	□ アパートに 住みます(すみます)	live in an apartment ／住楼房／아파트에 살다／sống ở chung cư
		□ 立派な 家(りっぱな いえ)	splendid house ／漂亮的房子／훌륭한 집／ngôi nhà sang trọng

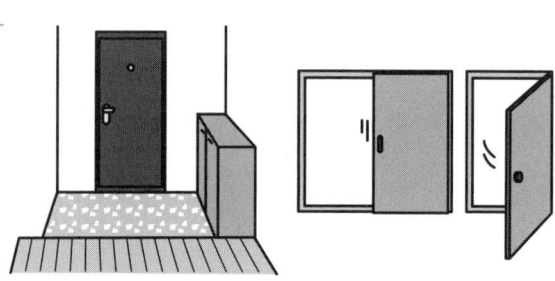

例文
① **本棚**の 横に **冷蔵庫**を 置きます。
② わたしの **うち**には、**エアコン**が ありません。
③ 今より もう少し **広い** 部屋に **住み**たいです。
④ すみません、地下鉄の **入口**は どこでしょうか。
⑤ ちょっと **お手洗い**に 行きたいんですが…。

ドリル

正しい ものを 一つ えらびましょう。

1)
① (　　　)の 花が とても きれいですね。
② (　　　)で、母が 料理を して います。
③ この (　　　)の 7階に 事務所が あります。
④ にもつが 多いですね。(　　　)を 使いましょう。

a.台所　　b.ビル　　c.階段　　d.庭　　e.エレベーター

2)
① 暑いですから、(　　　)を 開けましょう。
② ゆうべは 新しい (　　　)で 寝ました。
③ 玄関で くつを 脱いで、(　　　)を はいて ください。
④ 神社の 入口に りっぱな (　　　)が 立って います。

a.スリッパ　　b.窓　　c.ベッド　　d.門　　e.テーブル

Unit 17 自然
しぜん
Nature ／自然／자연／ thiên nhiên

☐ 海 (うみ)	sea ／海／바다／ biển	
☐ 山 (やま)	mountain ／山／산／ núi	
☐ 川 (かわ)	river ／河、河川／강／ sông	
☐ 池 (いけ)	pond ／池／연못／ ao	
☐ 空 (そら)	sky ／天空／하늘／ bầu trời	
☐ 雲 (くも)	cloud ／云／구름／ mây	
☐ 木 (き)	tree ／树／나무／ cây	
☐ 花が 咲きます (咲く) (はな さ)	flowers bloom ／花开／꽃이 피다／ hoa nở	
☐ 桜 (さくら)	cherry blossom ／樱花／벚꽃／ hoa anh đào	
☐ 動物 (どうぶつ)	animal ／动物／동물／ động vật	
☐ 犬 (いぬ)	dog ／狗／개／ chó	
☐ 猫 (ねこ)	cat ／猫／고양이／ mèo	
☐ 鳥が 鳴きます (鳴く) (とり な)	birds chirp ／鸟鸣／새가 울다／ chim hót	
☐ 空を 飛びます (そら と)	fly in the sky ／在空中飞／하늘을 날다／ bay lên trời	
☐ 魚 (さかな)	fish ／鱼／물고기／ cá	
☐ 景色 (けしき)	scenery ／景色／경치／ cảnh	
☐ 海が 見えます (見える) (うみ み)	see the sea ／看到大海／바다가 보이다／ nhìn thấy biển	
☐ 音が 聞こえます (聞こえる) (おと き)	hear the sound ／听到声音／소리가 들리다／ nghe thấy tiếng	
☐ 声 (こえ)	voice ／声音／소리／ giọng nói	
☐ 卵 (たまご)	egg ／鸡蛋／계란／ trứng	
☐ 生まれます (生まれる) (う)	born ／出生／태어나다／ sinh ra	
☐ 死にます (死ぬ) (し)	die ／死／죽다／ chết	

例文

① 天気が いい 日は、ここから 富士山が **見えます**。

② 公園の **桜**は 半分くらい **咲いて** いました。

③ プールより **海**で 泳ぎたいです。

④ あっ、**鳥**が **鳴いて** いますね。**聞こえます**か。

⑤ 「**動物**の 赤ちゃんは かわいいですね。」
　「ええ。**猫**の 赤ちゃんは 本当に かわいいです。」

ドリル

正しい ものを 一つ えらびましょう。

1)

① 海の 近くの レストランですから、(　　　) の 料理が おいしかったです。

② となりの 部屋から 田中さんの (　　　) が 聞こえます。

③ 白い (　　　) が 空を 飛んでいます。

④ あの 大きい (　　　) の 下で 少し 休みましょう。

a.魚	b.卵	c.木	d.声	e.鳥

2)

① 今日は いい 天気ですね。(　　　) が とても 青いです。

② 危ないですから、(　　　) の 近くで 遊ばないで ください。

③ 山の 上から 見る (　　　) は、とても きれいでした。

④ 工場の 近くの 川で、魚が たくさん (　　　) いました。

a.池	b.死んで	c.空	d.生まれて	e.景色

Unit 18 学校
がっこう
School ／学校／학교／ trường học

□ 学校 (がっこう)	school ／学校／학교／ trường học	□ 先生に 質問します (せんせい) (しつもん) (質問する)	ask a teacher ／问老师／선생님께 질문하다／ hỏi giáo viên
□ 大学 (だいがく)	university ／大学／대학／ trường đại học	□ レポートを 書きます (か) (書く)	write a report ／写报告／리포트를 쓰다／ viết bài báo cáo
□ 高校 (こうこう)	high school ／高中／고등학교／ trường trung học phổ thông	□ 宿題を します (する) (しゅくだい)	do homework ／做作业／숙제를 하다／ làm bài tập
□ 中学校 (ちゅうがっこう)	middle school ／中学／중학교／ trường trung học cơ sở	□ 教科書 (きょうかしょ)	textbook ／教科书／교과서／ sách giáo khoa
□ 小学校 (しょうがっこう)	elementary school ／小学／초등학교／ trường tiểu học	□ 辞書 (じしょ)	dictionary ／词典／사전／ từ điển
□ 授業を 受けます (じゅぎょう) (う) (受ける)	take a class ／听课／수업을 받다／ tham dự giờ học	□ 作文 (さくぶん)	composition ／作文／작문／ bài viết
□ 授業に 出ます (で) (出る)	go to class ／上课／수업에 나가다／ lên lớp	□ レポートを 出します (だ) (出す)	submit a report ／提交报告／리포트를 내다／ nộp báo cáo
□ 授業が あります (ある)	have a class ／有课／수업이 있다／ có giờ học	□ ノート	notes ／笔记本／노트／ vở
□ テストを 受けます (う) (受ける)	take a test ／参加考试／시험을 보다／ tham dự cuộc thi	□ パソコンを 習います (なら) (習う)	learn how to use the computer ／学电脑／컴퓨터를 배우다／ học máy tính
□ 教室 (きょうしつ)	classroom ／教室／교실／ phòng học	□ 机 (つくえ)	desk ／桌子／책상／ bàn
□ クラス	class ／班／반／ lớp học	□ 言葉を 覚えます (ことば) (おぼ) (出す)	remember words ／记词语／말을 배우다／ thuộc nhớ từ
□ 教師 (きょうし)	teacher ／教师／교사／ giáo viên	□ 英語で 書きます (えいご) (か) (書く)	write in English ／用英语写／영어로 쓰다／ viết bằng tiếng Anh
□ 学生 (がくせい)	(university) student ／学生／학생／ sinh viên	□ 中国語で 話します (ちゅうごくご) (はな) (話す)	speak in Chinese ／用汉语说／중국어로 말하다／ nói bằng tiếng Trung Quốc
□ 生徒 (せいと)	student ／学生／(중 / 고)학생／ học sinh	□ フランス語が わかります (ご) (わかる)	understand French ／懂法语／프랑스어를 안다／ hiểu tiếng Pháp
□ 大学に 入学します (だいがく) (にゅうがく) (入学する)	enroll in college ／上大学／대학에 입학하다／ vào đại học	□ 漢字 (かんじ)	kanji ／汉字／한자／ chữ Hán
□ 高校を 卒業します (こうこう) (そつぎょう) (卒業する)	graduate high school ／高中毕业／고등학교를 졸업하다／ tốt nghiệp trung học phổ thông	□ かたかな	hiragana ／片假名／가타카나／ chữ cứng
□ 日本語を 勉強します (にほんご) (べんきょう) (勉強する)	study Japanese ／学习日语／일본어를 공부하다／ học tiếng Nhật	□ ひらがな	katakana ／平假名／히라가나／ chữ mềm
□ 経済を 研究します (けいざい) (けんきゅう) (研究する)	research economics ／研究经济／경제를 연구하다／ nghiên cứu kinh tế		

例文

① 大学に 入学した ときから 東京に 住んでいます。
② いつも この 教室で 授業を 受けて います。
③ 来週の 月曜日までに レポートを 出さなければなりません。
④ 「大学では 何を 研究して いますか。」「日本の 経済です。」
⑤ では、教科書の 57ページを 読んでください。

ドリル

正しい ものを 一つ えらびましょう。

1)
① 子どもの 時から、(　　　)に なりたいと 思って いました。
② (　　　)は 難しいです。まだ あまり 読む ことが できません。
③ 今日は 4時まで (　　　)が ありますから、そのあと、会いましょう。
④ 「(　　　)は もう しましたか。」「いいえ、まだです。これから やります。」

| a. 教師 | b. 宿題 | c. 授業 | d. 漢字 | e. 机 |

2)
① 大学に (　　　) すぐ、この 辞書を 買いました。
② 「先生、ちょっと (　　　)も いいでしょうか。」「はい、どうぞ。」
③ 3月に 大学を (　　　)、今は 働いて います。
④ この テストは、みんな 必ず (　　　) ください。

| a. 入学して | b. 勉強して | c. 受けて | d. 質問して | e. 卒業して |

Unit 19 仕事・サービス
しごと

Work, Services ／工作、服務／일・서비스／ việc làm, dịch vụ

□	仕事（しごと）	job ／工作／일／ việc làm
□	会社員（かいしゃいん）	company employee ／公司职员／회사원／ nhân viên công ty
□	教師（きょうし）	teacher ／教师／교사／ giáo viên
□	医者（いしゃ）	doctor ／医生／의사／ bác sĩ
□	社長（しゃちょう）	president ／老总、老板／사장／ giám đốc
□	店長（てんちょう）	store manager ／店长／점장／ chủ cửa hàng
□	店員（てんいん）	store employee ／店员／점원／ nhân viên cửa hàng
□	エンジニア	engineer ／工程师／엔지니어／ kỹ sư
□	アルバイトを します	do a part-time job ／打工／아르바이트를 하다／ làm thêm
□	会社に 勤めます（勤める）（かいしゃ・つと）	work at a company ／在公司工作／회사에 근무하다／ làm việc tại công ty
□	店で 働きます（働く）（みせ・はたら）	work at a store ／在店里工作／가게에서 일하다／ làm việc tại cửa hàng
□	事務所（じむしょ）	office ／事物所／사무실／ văn phòng
□	受付（うけつけ）	reception ／收发室、接待室、传达室／접수／ tiếp tân
□	商品（しょうひん）	product ／商品／상품／ hàng hoá
□	サービス	service ／服务／서비스／ dịch vụ
□	（お）客（きゃく）	customer ／客人／손님／ khách hàng
□	ノートを コピーします（コピーする）	copy notes ／复印笔记／노트를 복사하다／ phô tô vở
□	店長に なります（なる）（てんちょう）	become store manager ／当店长／점장이 되다／ làm chủ cửa hàng
□	客が 並びます（並ぶ）（きゃく・なら）	customers line up ／客人排队／손님이 줄을 서다／ khách xếp hàng

例文

① 日曜日は、朝 9時から **アルバイト**を して います。
② 兄は、**エンジニア**です。ふじ電気に **勤めて** います。
③ この **会社は**、20年前に **社長**が つくりました。
④ 店の 前には、**大勢の 客**が **並んで** いました。
⑤ 田中さんは、大学の **事務所**で **働いて** います。

ドリル

正しい ものを 一つ えらびましょう。

1)
① その ホテルは、きれいで、（　　　）も よかったです。
② 彼女は 高校の （　　　）です。英語を 教えて います。
③ 彼は 車が 好きで、自動車の （　　　）を して います。
④ 5階が （　　　）ですから、まず、そこに 行って 名前を 書いて ください。

　　a. エンジニア　　b. 受付　　c. サービス　　d. 教師　　e. 店長

2)
① 姉は、駅の 近くの 病院で （　　　）います。
② わたしは、今の 会社に 5年 （　　　）います。
③ これを （　　　）、田中さんに 渡して ください。
④ よく 勉強して、りっぱな お医者さんに （　　　）ください。

　　a. 勤めて　　b. 働いて　　c. します　　d. コピーして　　e. なって

Unit 20 趣味・芸術・スポーツ・活動
しゅみ・げいじゅつ・スポーツ・かつどう

Hobbies, Arts, Sports ／兴趣、艺术、运动／취미·예술·스포츠／ sở thích, nghệ thuật, thể thao

□ スポーツ	sports ／运动／스포츠／ thể thao	□ 絵（え）	picture; painting ／绘画／그림／ tranh
□ サッカー	soccer ／足球／축구／ bóng đá	□ 雑誌（ざっし）	magazine ／杂志／잡지／ tạp chí
□ 野球（やきゅう）	baseball ／棒球／야구／ bóng chày	□ 写真（しゃしん）	photograph ／照片／사진／ ảnh
□ テニス	tennis ／网球／테니스／ ten nít	□ 写真を 撮ります（撮る）（しゃしん・と）	take a photo ／照相／사진을 찍다／ chụp ảnh
□ バスケットボール	basketball ／篮球／농구／ bóng rổ	□ 山に 登ります（登る）（やま・のぼ）	climb a mountain ／登山／산에 오르다／ leo núi
□ 水泳（すいえい）	swimming ／游泳／수영／ bơi lội	□ ギターを 弾きます（弾く）（ひ）	play the guitar ／弹吉他／기타를 치다／ chơi ghi-ta
□ プール	pool ／游泳池／수영장／ bể bơi	□ ピアノを 習います（習う）（なら）	practice the piano ／学钢琴／피아노를 배우다／ học chơi piano
□ 卓球（ピンポン）（たっきゅう）	table tennis ／乒乓球／탁구／ bóng bàn	□ 練習（します）（する）（れんしゅう）	to practice ／练习／연습(하다)／ luyện tập
□ スキー	skiing ／滑雪／스키／ trượt tuyết	□ カラオケに 行きます（行く）（い）	go to karaoke ／去唱卡拉 OK ／노래방에 가다／ đi hát karaoke
□ ダンス 教室（きょうしつ）	dance classroom ／舞蹈教室／댄스교실／ lớp học múa nhảy	□ 公園で 遊びます（遊ぶ）（こうえん・あそ）	play at the park ／在公园玩／공원에서 놀다／ chơi ở công viên
□ 試合を します 試合に 出ます（しあい・で）	to be in a match ／比赛、参加比赛／시합을 하다, 시합에 나가다／ tham dự cuộc thi đấu	□ 歌を 歌います（歌う）（うた・うた）	sing a song ／唱歌／노래를 부르다／ hát bài
□ 音楽（おんがく）	music ／音乐／음악／ âm nhạc	□ ゲームを します（する）	play a game ／玩游戏／게임을 하다／ chơi game
□ クラシック	classical ／古典音乐／클래식／ nhạc cổ điển	□ マンガ	manga; comics ／漫画／만화／ truyện tranh
□ ジャズ	jazz ／爵士乐／재즈／ nhạc jazz	□ アニメ	anime; animation ／动漫／만화 영화／ hoạt hình
□ コンサート	concert ／音乐会／콘서트／ buổi hoà nhạc	□ 料理が 上手（りょうり・じょうず）	good at cooking ／很会做饭／요리를 잘함／ nấu ăn giỏi
□ ピアノ	piano ／钢琴／피아노／ đàn piano	□ テニスが 下手（へた）	bad at tennis ／网球打得不好／테니스를 잘 못 침／ chơi ten nít kém
□ ギター	guitar ／吉他／기타／ đàn ghi-ta	□ つまらない 映画（えいが）	boring movie ／无聊的电影／재미없는 영화／ bộ phim chán
□ 歌を 歌います（歌う）（うた・うた）	sing a song ／唱歌／노래를 부르다／ hát bài	□ おもしろい 雑誌（ざっし）	interesting magazine ／有趣儿的杂志／재미있는 잡지／ cuốn tạp chí thú vị
□ カラオケ	karaoke ／卡拉 OK ／노래방／ karaoke	□ ひま（な）	free; bored ／空闲(的)／한가(한)／ rảnh
□ 有名な 映画（ゆうめい・えいが）	famous movie ／有名的电影／유명한 영화／ bộ phim nổi tiếng		
□ ドラマ	drama ／电视剧／드라마／ phim truyền		

例文

① **下手**ですが、**歌う**のが 大好きです。

② 子どもの ころから、毎朝、**ピアノ**の **練習**を して います。

③ 週に 1回、料理**教室**に 行って、日本の 料理を **習って** います。

④ **音楽**が 好きですから、いろいろな **コンサート**に 行きます。

⑤ 今週の 土曜日、**サッカー**の **試合**を 見に 行きます。

ドリル

正しい ものを 一つ えらびましょう。

1)

① ひまな ときは、（　　　　）を 読んだり、ゲームを したり します。

② 毎年 冬に 山へ 行って、（　　　　）を します。

③ ここには 有名な （　　　　）が たくさん あります。

④ 今度の 日曜日、一緒に （　　　　）を 見に 行きませんか。

| a. スキー | b. 映画 | c. 絵 | d. 雑誌 | e. 歌 |

2)

① 子どもたちは、公園で （　　　　）います。

② 月に 2、3回は 山に （　　　　）います。

③ ときどき 写真を （　　　　）、こっちに 送って ください。

④ 山本さんが ピアノを （　　　　）くれました。

| a. 登って | b. 遊んで | c. 撮って | d. 習って | e. 弾いて |

Unit 16～Unit 20 実戦練習

⏳ 15分でチャレンジ

問題1 （　）に 何を 入れますか。1～4から 1つ えらんで ください。

① わたしは ときどき、ピアノを（　　　）。

　1　はたらきます　　2　ひきます　　3　うたいます　　4　します

② あねは （　　　）です。英語を 教えて います。

　1　店員　　2　社長　　3　医者　　4　教師

③ 鳥が 鳴いて いますね。（　　　）か。

　1　見えます　　2　見ます　　3　聞こえます　　4　聞きます

④ 夏は （　　　）へ 行きたいです。泳ぎたいですから。

　1　山　　2　雲　　3　海　　4　空

⑤ ちょっと 暑いですね。（　　　）を つけてください。

　1　窓　　2　エアコン　　3　テレビ　　4　ドア

⑥ 疲れましたから、（　　　）に 乗りましょう。

　1　ベッド　　2　階段　　3　いす　　4　エレベーター

⑦ 先週、日本に 来ました。日本語は、まだ よく（　　　）。

　1　研究しません　　2　習いません　　3　わかりません　　4　覚えません

⑧ テーブルの 上に、ジュースを （　　　）。

　1　します　　2　上がります　　3　置きます　　4　乗ります

問題2 ＿＿＿＿の 文と だいたい 同じ いみの 文が あります。1〜4から 1つ えらんで ください。

① はやしさんは かいしゃに つとめて います。

　1　はやしさんは かいしゃから かえります。
　2　はやしさんは かいしゃで はたらいて います。
　3　はやしさんは しごとが じょうずです。
　4　はやしさんは しごとが いそがしいです。

② がっこうの じゅぎょうを うけます。

　1　がっこうの じゅぎょうに でます。
　2　がっこうの じゅぎょうが おわります。
　3　がっこうの じゅぎょうを ならいます
　4　がっこうの じゅぎょうを れんしゅうします。

③ せんせいに しつもんします。

　1　せんせいを よびます。
　2　せんせいと あいます。
　3　せんせいに ききます。
　4　せんせいに おしえます。

④ さくらだいがくに にゅうがくしました。

　1　さくらだいがくで べんきょうしました。
　2　さくらだいがくに はいりました。
　3　さくらだいがくに いきました。
　4　さくらだいがくで ならいました。

Unit 21 体・健康
からだ・けんこう

Body, Health ／身体、健康／몸・건강／ cơ thể, sức khoẻ

□ 体 (からだ)	body ／身体／몸／ cơ thể	□ 病気に なります(なる) (びょうき)	get sick ／生病／병에 걸리다／ bị ốm
□ 頭 (あたま)	head ／头／머리／ đầu	□ 風邪を ひきます(ひく) (かぜ)	catch a cold ／感冒／감기에 걸리다／ bị cảm
□ 髪 (かみ)	hair ／头发／머리카락／ tóc	□ 熱が あります(ある) (ねつ)	have a fever ／发烧／열이 있다／ có sốt
□ 顔 (かお)	face ／脸／얼굴／ mặt	□ 気分が 悪い (きぶん)(わる)	feel bad ／不舒服／기분이 나쁘다／ cảm thấy khó chịu
□ 目 (め)	eye ／眼睛／눈／ mắt	□ 頭が 痛い (あたま)(いた)	head hurts ／头疼／머리가 아프다／ đau đầu
□ 耳 (みみ)	ear ／耳朵／귀／ tai	□ 薬を 飲みます(飲む) (くすり)(の)	take medicine ／吃药／약을 먹다／ uống thuốc
□ 鼻 (はな)	nose ／鼻子／코／ mũi	□ 薬局 (やっきょく)	pharmacy ／药局／약국／ hiệu thuốc
□ 口 (くち)	mouth ／嘴／입／ miệng	□ 背が 高い (せ)(たか)	tall ／个子高／키가 크다／ chiều cao cao
□ のど	throat ／嗓子／목／ cổ	□ 背が 低い (せ)(ひく)	short ／个子矮／키가 작다／ chiều cao thấp
□ 歯 (は)	tooth ／牙／이／ răng	□ 気を つけます(つける) (き)	be careful ／注意／주의하다／ cẩn thận
□ 手 (て)	hand ／手／손／ tay	□ よく なります(なる)	become better ／变好／좋아지다／ khôi phục
□ 足 (あし)	foot; leg ／脚／발／ chân		
□ 胸 (むね)	chest ／胸／가슴／ ngực		
□ おなか	stomach ／肚子／배／ bụng		

例文

① あの 髪が 長い 人が、さくらさんですよ。

②「気分は どうですか。」「少し よく なりました。」

③ この 薬は、一日 3回、食事の 後に 飲んで ください。

④ 昨日から、熱が あります。それから、おなかも 痛いです。

⑤ 体に 気を つけてください。

ドリル

正しい ものを 一つ えらびましょう。

1)

① 山本さん、(　　　) を 切りましたか。かわいいですね。

② 質問が ある 人は、(　　　) を 上げて ください。

③ 昨日から (　　　) が 痛いです。たぶん 風邪です。

④ わたしは 姉より 少し (　　　) が 高いです。

| a. のど | b. 髪 | c. 足 | d. 背 | e. 手 |

2)

① 頭が すごく 痛いです。(　　　) を 飲みたいです。

②「顔が 赤いですよ。大丈夫ですか。」「ちょっと (　　　) が あります。」

③ (　　　) が 悪いです。少し 休んでも いいですか。

④ (　　　) を ひいて 休みましたが、もう よく なりました。

| a. 薬 | b. 病気 | c. 気分 | d. 風邪 | e. 熱 |

Unit 22 道具・機械・材料

Tool, Machinery, Materials／工具、机械、材料／도구・기계・재료／dụng cụ, máy móc, nguyên liệu

□ ペン	pen／笔／펜／bút	□ ボタンを 押します (押す)	press button／按按钮／버튼을／bấm nút
□ ボールペン	ballpoint pen／圆珠笔／볼펜／bút bi	□ かぎを かけます	to lock／上锁／자물쇠를 잠그다／khoá
□ シャーペン／シャープペンシル	mechanical pencil／自动铅笔／샤프펜／bút chì kim	□ 木のいす	wooden seat／木制椅子／나무 의자／ghế gỗ
□ 鉛筆	pencil／铅笔／연필／bút chì	□ ガラスの コップ	glass cup／玻璃杯子／유리컵／cốc thuỷ tinh
□ 消しゴムで 消します (消す)	erase with an erases／用橡皮擦／지우개로 지우다／xoá bằng cục gôm	□ リモコン	remote control／遥控器／리모컨／cái điều khiển
□ 手帳	notebook; memo pad／记事本／수첩／sổ tay	□ カード	(credit) card／卡／카드／thẻ
□ メモを します (する)	take memos／做笔记／메모를 하다／ghi chép		
▶ 紙に メモを します	take memos on paper／记在纸上／종이에 메모를 하다／ghi chép vào giấy		
□ メモを 渡します (渡す)	give notes／交笔记／메모를 건네다／đưa giấy ghi chép		
□ ページ	page／页／페이지／trang		
□ ナイフ	knife／刀／나이프／dao		
□ 時計	watch／表、钟／시계／đồng hồ		
□ カメラ	camera／眼镜／카메라／máy ảnh		
□ 写真を 撮ります (とる)	take photos／照相／사진을 찍다／chụp ảnh		
□ 箱	box／箱子／상자／hộp		
□ 花びん	vase／花瓶／꽃병／bình hoa		
□ せっけん	soap／肥皂／비누／xà phòng		
□ 封筒	envelope／信封／봉투／phong bì		

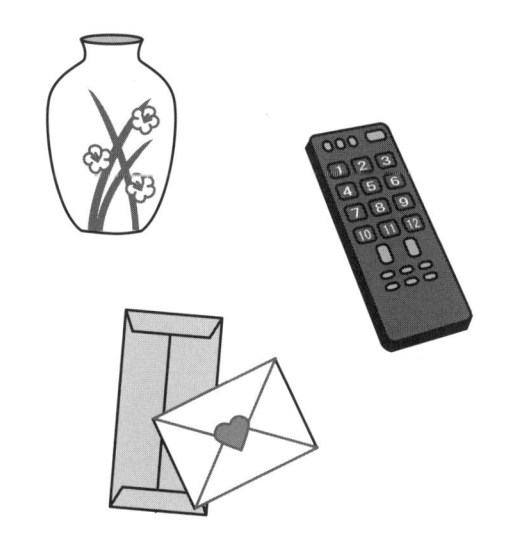

例文

① この **花びん**に 水を 入れて きて ください。

② えんぴつは だめです。黒か 青の **ボールペン**で 書いて ください。

③ 「あの **木**の **箱**には 何が 入って いますか。」「外国の お酒です。」

④ その 本は 240**ページ** ありますが、もう 半分 読みました。

⑤ メモを したいです。**紙**は ありませんか。

ドリル

正しい ものを 一つ えらびましょう。

1)

① (　　　)で 手を よく 洗って ください。

② わたしは もう、来年の (　　　)を 買いました。

③ 今日、図書館の (　　　)を 作って、本を 借りました。

④ 新しい (　　　)で 早く 写真を 撮りたいです。

| a. 手帳 | b. せっけん | c. カメラ | d. ページ | e. カード |

2)

① その 手紙は この (　　　)に 入れて ください。

② リンゴは この (　　　)で 切って ください。

③ お金を 入れてから (　　　)を 押して ください。

④ (　　　)の 中には、いろいろな お菓子が 入って いました。

| a. ナイフ | b. 木 | c. 封筒 | d. 箱 | e. ボタン |

Unit 23 情報・コミュニケーション
じょうほう

Information, Communication ／情報、交流／정보·커뮤니케이션／thông tin, giao tiếp

□ テレビ	television ／电视／텔레비전／ti vi		□ 手紙を 出します（出す） てがみ　だ　　　　だ	send a letter ／寄信／편지를 부치다／gửi thư
□ ラジオ	radio ／收音机／라디오／đài, radio		□ はがき	postcard ／明信片／엽서／bưu thiếp
□ 新聞 しんぶん	newspaper ／报纸／신문／báo		□ 切手を はります（はる） きって	affix a stamp ／贴邮票／우표를 붙이다／dán tem
□ 電話（します）（する） でんわ	to telephone ／电话／전화(하다)／điện thoại		□ にもつを 送ります（送る） おく　　　　おく	send luggage ／寄包裹／짐을 보내다／gửi hành lý
□ 携帯電話／ けいたいでんわ ケータイ	cellular phone ／手机／핸드폰／điện thoại di động		□ 速達 そくたつ	express delivery ／加急邮件／속달／gửi chuyển phát nhanh
□ スマホ	smartphone ／智能手机／스마트폰／điện thoại thông minh		□ エアメール	air mail ／航空信／에어메일／gửi bằng đường hàng không
□ （インター）ネット	Internet ／因特网／인터넷／mạng, internet		□ 航空便 こうくうびん	air mail ／航空信／항공 우편(물)／gửi bằng đường hàng không
□ （E）メール	e-mail ／电子邮件／이메일／thư điện tử, mail		□ ～と 話します（話す） はな　　　　はな	speak with ～ ／跟～说／～와/과 말하다／nói chuyện với ～
□ ニュース	news ／新闻／뉴스／thời sự, tin tức		□ ～に 伝えます（伝える） つた　　　　つた	let ～ know ／传达给～／～에게 전달하다／chuyển lời đến ～
			□ ～と 言います（言う） い　　　　い	say ～ ／叫作～、称作～／～라고 합니다／nói rằng ～
			□ 伝言を お願いします でんごん　　ねが （お願いする） ねが	ask for a message ／请转达／전언을 부탁하다／nhờ chuyển lời
			□ 連絡します（連絡する） れんらく　　　　れんらく	contact ／联系／연락하다／liên lạc
			□ 言葉 ことば	word ／语言、词语／말／lời
			□ 文章 ぶんしょう	sentence; composition ／文章／문장／bài viết

例文

① 毎朝、**テレビ**で **ニュース**を 見ます。
② この **手紙**、**速達**で お願いします。
③ すみませんが、**伝言を** お願いします。
④ **携帯電話**を 忘れましたから、**電話**できません。
⑤ 田中さんに、少し 遅れると **伝えて** ください。

ドリル

正しい ものを 一つ えらびましょう。

1)
① この はがきに （　　　）を はって ください。
② （　　　）で 新聞を 読む ことが できます。
③ この （　　　）は 軽くて 便利です。
④ 少し 長い （　　　）を 書きました。

a. インターネット　　b. 切手　　c. エアメール　　d. スマホ　　e. メール

2)
① 「田中さんから 伝言が ありましたよ。」「何と （　　　）いましたか。」
② 航空便で 荷物を （　　　）ください。
③ 休む ときは 学校に （　　　）ください。
④ 田中さんは 教室で 鈴木さんと （　　　）います。

a. 話して　　b. 出します　　c. 送って　　d. 連絡して　　e. 言って

Unit 24 　世界と日本
せかい　にほん

The World and Japan／世界与日本／세계와 일본／thế giới và Nhật Bản

□ **世界** (せかい)	world／世界／세계／thế giới		□ **正月** (しょうがつ)	New Year／元旦／설날／tháng Giêng
□ **アジア**	Asia／亚洲／아시아／Châu Á		□ **着物** (きもの)	kimono／和服／기모노 (일본 전통 의상)／áo kimono
□ **ヨーロッパ**	Europe／欧洲／유럽／Châu Âu		□ **(お)祭り** (まつり)	festival／日本传统祭日／축제／lễ hội
□ **国** (くに)	country／国／나라／đất nước		□ **すもう**	sumo／相扑／스모 (일본 씨름)／vật sumo
▶ **アメリカ**	America／美国／미국／Mỹ		□ **まんが**	manga; comics／漫画／만화／truyện tranh
▶ **イギリス**	England／英国／영국／Anh		□ **アニメ**	anime; animation／动漫／만화 영화／hoạt hình
▶ **インドネシア**	Indonesia／印度尼西亚／인도네시아／In-đô-nê-xi-a		□ **柔道** (じゅうどう)	judo／柔道／유도／võ judo
▶ **オーストラリア**	Australia／澳大利亚／오스트레일리아／Úc		□ **カラオケ**	karaoke／卡拉OK／노래방／karaoke
▶ **韓国** (かんこく)	South Korea／韩国／한국／Hàn Quốc		□ **外国** (がいこく)	foreign country／外国／외국／nước ngoài
▶ **カンボジア**	Cambodia／柬埔寨／캄보디아／Cam-pu-chia		□ **外国人** (がいこくじん)	foreign person／外国人／외국인／người ngước ngoài
▶ **スリランカ**	Sri Lanka／斯里兰卡／스리랑카／Xri Lan-ca		□ **～人** (じん)	Indicator for a person from a country.／～人／~ 인／người ～
▶ **台湾** (たいわん)	Taiwan／台湾／대만／Đài Loan			
▶ **ドイツ**	Germany／德国／독일／Đức			
▶ **ネパール**	Nepal／尼泊尔／네팔／Nê-pan			
▶ **ブラジル**	Brazil／巴西／브라질／Bra-xin			
▶ **フランス**	France／法国／프랑스／Pháp			
▶ **ベトナム**	Vietnam／越南／베트남／Việt Nam			
▶ **香港** (ほんこん)	Hong Kong／香港／홍콩／Hồng Kông			
▶ **マレーシア**	Malaysia／马来西亚／말레이시아／Ma-lai-xi-a			
▶ **ミャンマー**	Myanmar／缅甸／미얀마／Mi-an-ma			
▶ **モンゴル**	Mongolia／蒙古／몽골／Mông Cổ			
▶ **ロシア**	Russia／俄国／러시아／Nga			

例文

① わたしは **韓国**へ 行った ことが あります。

② 田中さんは **フランス**語と **ベトナム**語が わかります。

③ 日本の **アニメ**は わたしの 国でも 有名です。

④ **すもう**は **モンゴル**でも 人気が あります。

⑤ **ネパール**の カレーは とても 辛いです。

ドリル

正しい ものを 一つ えらびましょう。

1)

① （　　　）で いちばん 広い 国は ロシアです。

② 「お国は どちらですか。」「（　　　）です。」

③ 夏休みに イギリスや ドイツなど、（　　　）に 行きたいです。

④ （　　　）は、はしで ご飯を 食べる 国が 多いです。

a. アジア　　b. ヨーロッパ　　c. アメリカ　　d. 外国　　e. 世界

2)

① 正月に （　　　）を 着ました。

② 来週、京都で 有名な （　　　）が あります。

③ 好きな スポーツは（　　　）です。

④ 私の 趣味は （　　　）を 読む ことです。

a. まんが　　b. 着物　　c. 柔道　　d. お祭り　　e. 香港

Unit 25 どんな人・気持ち？

What kind of person? What kind of feeling?／什么样的人・怎样的心情？／어떤 사람・기분？／người/tâm trạng thế nào

□	気持ち（きも）	feelings ／心情／기분／ tâm trạng
□	やさしい	kind ／温柔／상냥하다／ hiền lành
□	こわい	scary ／可怕．厉害／무섭다／ đáng sợ
□	親切(な)（しんせつ）	gentle ／亲切／친절함／ tốt bụng
□	楽しい（たの）	enjoyable ／愉快／즐겁다／ vui vẻ
□	悲しい（かな）	sad ／悲伤／슬프다／ buồn bã
□	好き(な)（す）	liked ／喜欢（的）／좋아함／ thích
□	きらい(な)	disliked ／讨厌（的）／싫어함／ ghét
□	かっこいい	cool ／帅／멋있다／ đẹp trai
□	きれい(な)	pretty ／漂亮（的）／예쁨／ xinh đẹp
□	面白い（おもしろ）	interesting ／有意思／재미있다／ buồn cười
□	頭が いい（あたま）	smart ／聪明／머리가 좋다／ thông minh
□	かわいい	cute ／可爱／귀엽다／ dễ thương
□	若い（わか）	young ／年轻／젊다／ trẻ
□	まじめ(な)	serious ／认真（的）／성실함／ chăm chỉ
□	さびしい	lonely ／寂寞／쓸쓸하다／ buồn bã
□	うれしい	happy ／高兴／기쁘다／ vui vẻ
□	怒ります(怒る)（おこ／おこ）	become angry ／发怒、发火／화를 내다／ tức giận

例文

① **親切な**人と 結婚したいです。

② 母は いつも **やさしい**ですが、怒った ときは **こわい**です。

③ 父は 学生の ころ、とても **かっこよかった**です。

④ 「いい 天気ですね。」「ええ、**気持ち**が いいですね。」

⑤ 「**嫌いな** 食べ物は ありますか。」「ぼくは トマトが **嫌い**です。」

ドリル

正しい ものを 一つ えらびましょう。

1)

① 「カラオケは （　　　）ですか。」「はい、よく 行きます。」

② 初めて 給料を もらいましたので、（　　　）です。

③ 「ペットが 死んだときは、（　　　）ですね。」「ええ。とても。」

④ 「その スカート、とても （　　　）ですね。」「そうですか。ありがとうございます。」

a. うれしい	b. まじめ	c. かわいい	d. 悲しい	e. 好き

2)

① 「この 鳥は 話す ことが できますよ。」「へえ、（　　　）ですね。」

② この 店には、大学生や 高校生など、（　　　）人が よく 来ます。」

③ この 本は とても （　　　）ですよ。ぜひ 読んで ください。

④ 一人で 晩ごはんを 食べる ときは、ちょっと （　　　）。

a. 面白い	b. 頭がいい	c. きれい	d. さびしい	e. 若い

Unit 21～Unit 25 実戦練習

⏳ 15分でチャレンジ

問題1 （　）に 何を 入れますか。1～4から 1つ えらんで ください。

① かぜを （　　　）から、薬を 飲みます。

　1 なりました　　　2 ひきました　　　3 つけました　　　4 ありました

② お茶を 飲むときは、この （　　　）を 押してください。

　1 ページ　　　　2 ペン　　　　　3 ボタン　　　　4 ヨーロッパ

③ 一年くらい （　　　）を 旅行したいです。

　1 せかい　　　　2 しんぶん　　　3 せっけん　　　4 しょうがつ

④ すみません、テレビの （　　　）を とって ください。

　1 ラジオ　　　　2 ケータイ　　　3 インターネット　4 リモコン

⑤ 郵便局で にもつを （　　　）。

　1 つたえます　　2 はります　　　3 れんらくします　4 おくります

⑥ A「（　　　）にも この お店は ありますか。」
　B「いいえ、日本 だけです」

　1 がいこく　　　2 でんごん　　　3 のど　　　　　4 てちょう

⑦ わたしの 国でも、（　　　）は とても 有名です。

　1 はがき　　　　2 すもう　　　　3 びょうき　　　4 かびん

⑧ すみません、（　　　）で はらっても いいですか。

　1 ボールペン　　2 メモ　　　　　3 ナイフ　　　　4 カード

問題2 _____の 文と だいたい 同じ いみの 文が あります。1～4から 1つ えらんで ください。

① わたしは さかなが きらいです。

 1 わたしは さかなが こわいです。
 2 わたしは さかなが かわいいです。
 3 わたしは さかなが やさしくないです。
 4 わたしは さかなが すきじゃありません。

② ここで ケータイを つかっては いけません。

 1 ここで スマホを 使っては いけません。
 2 ここで メールを 見ては いけません。
 3 ここで シャーペンを 使っては いけません。
 4 ここで ニュースを 見ては いけません。

③ これを エアメールで お願いします。

 1 これを ふうとうに いれて 送ります。
 2 これを はこに いれて 送ります。
 3 これを こうくうびんで 送ります。
 4 これを ネットで 送ります。

④ わたしの しゅみは カラオケです。

 1 わたしは うたう ことが すきです。
 2 わたしは まんがが すきです。
 3 わたしは えを かく ことが すきです。
 4 わたしは はがきが すきです。

Unit 26 動詞
ふりがな: どうし
Verbs ／动词／동사／ động từ

□ 川が あります（ある）	There is a river. ／有河／강이 있다／ Có con sông.
□ 時間が あります（ある）	Have time ／有时间／시간이 있다／ có thời gian
▶ お金が ありません（ない）	I have no money. ／没有钱／돈이 없다／ Không có tiền.
□ 切符が いります（いる）	need a ticket ／要票／표가 필요하다／ cần mua vé
□ 電気が 消えます（消える）	lights go out ／关灯／전등(불)이 꺼지다／ đèn bị tắt
□ それを ください（「くださる」の命令形）	Please give me that. ／给我那个／그것을 주세요．／ Cho tôi xin cái đó.
□ 後ろに 立ちます（立つ）	stand behind ／站在后边／뒤에 서다／ đứng ở sau lưng
□ 疲れます（疲れる）	tired ／累、疲劳／피곤하다／ mệt mỏi
□ テニスが できます（できる）	able to play tennis ／会打网球／테니스를 할 수 있다／ có thể chơi ten nít
□ さいふを なくします（なくす）	lose a wallet; lose a purse ／丢失钱包／지갑을 잃어버리다／ mất ví tiền
□ たばこを 吸います（吸う）	smoke a cigarette ／吸烟、抽烟／담배를 피우다／ hút thuốc

例文

① この はがきを 出す ときに、切手が **いります**。

② 電気が **消えています**から、今 リサさんは いません。

③ この 店では、**立って** 食べます。

④ 昨日、さいふを **なくして** しまいました。

⑤ 「その 赤いのを **ください**。」「これですね。200円です。」

ドリル

正しい ものを 一つ えらびましょう。

1)

① 明日の 授業は 辞書が (　　　)。

② 今日は 天気が いいですから、洗濯が (　　　)。

③ テーブルの 上に パソコンが (　　　)。

④ この ボタンを 押すと、部屋の 電気が (　　　)。

> a. あります　b. いります　c. 立ちます　d. 消えます　e. できます

2)

① ここで たばこを (　　　) は いけません。

② 彼は スマホを (　　　) 困っていました。

③ 今日は (　　　) いますから、早く 寝ます。

④ よく ここに おまわりさんが (　　　) います。

> a. 立って　b. あって　c. 吸って　d. 疲れて　e. なくして

Unit 27 形容詞・副詞
けいようし　ふくし

Adjective, Adverbs ／形容词、副词／형용사・부사／ tính từ, trạng từ

□ 厚い 本（あつ・ほん）	thick book ／很厚的书／두꺼운 책／ cuốn sách dày
□ 危ない 場所（あぶ・ばしょ）	dangerous place ／危险的地方／위험한 장소／ nơi nguy hiểm
□ 薄い 服（うす・ふく）	thin clothes ／单薄的衣服／얇은 옷／ cái áo mỏng
□ 重い 荷物（おも・にもつ）	heavy package ／沉重的行李／무거운 짐／ cái hành lý nặng
□ 汚い 手（きたな・て）	dirty hands ／脏手／더러운 손／ bàn tay bẩn
□ 暗い 部屋（くら・へや）	dark room ／黑暗的房间／어두운 방／ căn phòng tối
□ 明るい 人（あか・ひと）	cheerful person ／明朗的人／밝은 사람／ người tươi sáng
□ じょうぶな かばん	sturdy bag ／结实的书包／튼튼한 가방／ cái túi bền
□ 体は 大丈夫ですか。（からだ・だいじょうぶ）	Is your body okay? ／身体不要紧吗？／몸은 괜찮으세요？／ Sức khoẻ có ổn không?
□ 大切な 写真（たいせつ・しゃしん）	precious photograph ／珍贵的照片／소중한 사진／ tấm ảnh quan trọng
□ 大変な 仕事（たいへん・しごと）	difficult job ／辛苦的工作／힘든 일／ việc làm vất vả
□ 冷たい 料理（つめ・りょうり）	cold food ／冷菜、凉菜／차가운 요리／ món ăn lạnh
□ 温かい 飲み物（あたた・の・もの）	warm drink ／温热的饮料／따뜻한 음료／ đồ uống ấm
□ 強い 風（つよ・かぜ）	strong wind ／强风／강한 바람／ cơn gió mạnh
□ 弱い 力（よわ・ちから）	weak power ／微弱的力量／약한 힘／ sức lực yếu
□ にぎやかな 町（まち）	bustling city ／热闹的街道／번화한 거리(동네)／ thành phố náo nhiệt
□ 太い ペン（ふと）	thick pen ／粗笔／굵은 펜／ chiếc bút to
□ 細い ペン（ほそ）	thin pen ／细笔／가는 펜／ chiếc bút thon
□ 丸い テーブル（まる）	round table ／圆桌／둥근 테이블／ cái bàn tròn
□ 立派な 家（りっぱ・いえ）	splendid house ／漂亮的房子／멋진 집／ ngôi nhà sang trọng
□ あまり 好きじゃない（す）	don't like it very much ／不太喜欢／별로 좋아하지 않는다／ không thích lắm
□ たいてい 7時に 起きます（じ・お）	usually wake up at 7 ／大多 7 点起床／대개 7 시에 일어난다／ dạy lúc 7 giờ
□ だんだん 寒くなります（さむ）	get colder and colder ／渐渐变冷／점점 추워진다／ càng ngày càng lạnh
□ どうぞ お入りください（はい）	Please come in. ／请进／자 들어가세요．／ Xin mời vào.
□ 本当に おいしい（ほんとう）	very delicious ／真好吃／정말 맛있다／ thật là ngon
□ もちろん	of course ／当然／물론／ tất nhiên

例文

① この 部屋は **明るくて**、いいですね。

② 「元気に なりましたか。」「はい。もう **大丈夫**です。」

③ **温かい** ものが 食べたいです。

④ 「とても **にぎやか**ですね。」「ええ、今日は お祭りが あります。」

⑤ 「明日の パーティー、私も 行って いいですか。」「**もちろん**です。」

ドリル

正しい ものを 一つ えらびましょう。

1)

① 「この 家は 大きいですね。」「ええ。門も （　　　）ですね。」

② 「どちらの チームが （　　　）ですか。」「Aチームです。」

③ 毎日、仕事が 多くて （　　　）です。

④ 「とても （　　　）道ですね。」「ええ、車は 通れません。」

a. 大変	b. 立派	c. 大切	d. 強い	e. 細い

2)

① お酒は （　　　）飲みません。

② 金曜日の 夜は （　　　）友だちと 食事を します。

③ 「ちょっと この ペン、借りても いいですか。」「はい、（　　　）。」

④ これから （　　　）暑く なります。

a. どうぞ	b. たいてい	c. だんだん	d. 本当に	e. あまり

Unit 28 名詞
Nouns ／名词／명사／ danh từ

□ **住所** _{じゅうしょ}	address ／住所／주소／ địa chỉ
□ **番号** _{ばんごう}	number ／号码／번호／ số
□ **席**に **座る** _{せき} _{すわ}	sit in a seat ／坐在座位上／자리에 앉다／ ngồi ghế
□ **形** _{かたち}	shape ／形状／형태／ hình dáng
□ 楽しい **こと** _{たの}	fun thing ／愉快的事／즐거운 일／ điều vui vẻ
□ 好きな **もの** _す	favored thing ／喜欢的东西／좋아하는 것／ cái nào thích
□ 安い **ほう** _{やす}	cheap one ／(属于)便宜的／싼 쪽／ cái nào rẻ hơn

例文

① 時計は 丸い **形**が いいです。

② ここに **住所**を 書いて ください。

③ わたしの 部屋の **番号**は ２０３です。

④ 「どの **席**が いいですか。」「海が 見える **席**が いいです。」

⑤ 「どっちが いいですか。」「じゃ、その 小さい **ほう**を ください。」

ドリル

正しい ものを 一つ えらびましょう。

1)

① それが いちばん ききたかった〔 a. こと　b. もの 〕です。

② この 皿は 中国で 買った〔 a. こと　b. もの 〕です。

③ 寒いですから、何か 温かい〔 a. こと　b. もの 〕が 飲みたいです。

④ 小さい 子どもは ときどき 危ない〔 a. こと　b. もの 〕を します。

2)

① わたしの うちには ねこが います。（　　　）は クロです。

② 「日本で どんな （　　　）が したい ですか。」
　 「すもうを 見たいです。」

③ 手紙を 書きますから、（　　　）を 教えて ください。

④ 〈写真を 見て〉
　 「どっちが 弟さんですか。」
　 「背が 高い （　　　）です。」

| a. 形 | b. こと | c. ほう | d. 住所 | e. 名前 |

Unit 29 疑問詞・接続詞
Interrogatives, Conjunctions ／疑问词、接续词／의문사·접속사／ từ nghi vấn, liên từ

□ 何(なに)	what ／什么／무엇／ gì
□ どのくらい	how much; how long ／多少／어느 정도／ bao ～
□ どうして	why ／怎么／어째서／ tại sao
□ なぜ	why ／为什么／왜／ tại sao
□ どうやって	in what way ／怎么／어떻게／ làm thế nào
□ 何(なん)で ※手段(しゅだん) (means ／手段／수단／ phương tiện)	with what ／用什么／무엇으로／ bằng
□ どう	how ／怎么样／어떻게／ thế nào
□ いつ	when ／什么时候／언제／ khi nào
□ それから	after that ／然后／그 다음에／ sau đó
□ そして	and then ／于是、然后／그리고／ và
□ じゃ	so ／那么／그럼／ vậy
□ でも	but ／可是／그래도／ nhưng
□ ～が	however; but ／不过、可是／ ~ 지만／ nhưng

例文

① 「大阪まで **何で** 行きましたか。」「新幹線で 行きました。」
② 「家から ここまで **どのくらい** かかりますか。」「1時間くらいです。」
③ この機械は **どうやって** 使いますか。
④ 北海道は きれいな ところです。**そして**、食べ物が おいしいです。
⑤ あの レストランは 安いです**が**、あまり おいしくないです。

ドリル

正しい ものを 一つ えらびましょう。

1)
① 「スポーツで（　　　）が いちばん 好きですか。」
　「ぼくは サッカーが 好きです。」
② 「（　　　）きのう 早く 帰りましたか。」「頭が 痛かったですから。」
③ 「（　　　）日本語を 勉強しましたか。」「4か月 勉強しました。」
④ 「日本語の 勉強は （　　　）ですか。」「難しいですが、面白いです。」

　　a. どうして　　b. どうやって　　c. どのくらい　　d. なに　　e. どう

2)
① 「これは（　　　）買いますか。」
　「お金を 入れてから、ボタンを おして ください。」
② きのうは 8時まで 勉強しました。（　　　）テレビを 見ました。
③ 「この ワインは とても おいしいですよ。」「（　　　）、それを ください。」
④ 「このくつ、いいですね。」「ええ。（　　　）少し 高いですね。」

　　a. そして　　b. でも　　c. じゃ　　d. それから　　e. どうやって

Unit 30 あいさつなど

Greetings and More／问候等／인사 등／câu chào hỏi v.v..

毎日のあいさつ (まいにち)
Morning greeting／每天的问候／매일의 인사／chào hỏi hàng ngày

- □ おはようございます。 — Good morning.／早上好／안녕하세요.(아침 인사)／Chào buổi sáng.
- □ こんにちは。 — Hello.／你好／안녕하세요.(점심 인사)／Chào buổi chiều.
- □ こんばんは。 — Good evening.／晚上好／안녕하세요.(저녁 인사)／Chào buổi tối.
- □ おやすみなさい。 — Good night.／晚安／안녕히 주무세요.／Chúc ngủ ngon.
- □ いただきます。 — An expression of gratitude before a meal.／吃饭前要说的问候语(那，吃了啊！)／잘 먹겠습니다.／Tôi xin phép ăn.
- □ ごちそうさま（でした）。 — An expression of gratitude after a meal.／吃好了／잘 먹었습니다.／Cảm ơn về bữa ăn.

感謝・謝罪 (かんしゃ・しゃざい)
Gratitude / Apology／感谢・谢罪／감사・사죄／cảm ơn, xin lỗi

- □ どうもありがとうございます。 — Thank you very much.／非常感谢／감사합니다.／Xin chân thành cảm ơn.
- □ どういたしまして — You're welcome.／不客气／천만에요.／Không có gì.
- □ ごめんなさい。 — I'm sorry.／对不起／미안해요.죄송해요.／Xin lỗi.
- □ すみません。 — Pardon me.／对不起／미안해요.죄송해요.／Xin lỗi.
- □ 失礼しました。 (しつれい) — Excuse me.／失礼了／실례했습니다.／Xin thứ lỗi.

会う時・別れる時 (あうとき・わかれるとき)
Meeting / Parting／见面时・分别时／만날 때・헤어질 때／lúc gặp gỡ, lúc chia tay

- □ 初めまして。 (はじ) — Nice to meet you.／初次见面／처음 뵙겠습니다.／Rất vui được gặp bạn.
- □ どうぞよろしく。 — How do you do.／请多关照／잘 부탁해.／Rất mong nhận được sự giúp đỡ.
- □ よろしくお願いします (ねが) — looking forward to working with you／请多关照／잘 부탁합니다.／Rất mong nhận được sự giúp đỡ.
- □ こちらこそ。 — Likewise.／也请您多关照／저야 말로요.／Tôi cũng vậy.
- □ ごめんください。 — Excuse me.／对不起、有人吗？／계세요？／Xin chào.
  ※玄関などで中にいる人を呼ぶことば。(げんかん・なか・ひと・よ)
- □ いらっしゃい。 — Come in.／欢迎、欢迎／어서 오세요.／Xin mời vào.
- □ いらっしゃいませ。 — Welcome.／欢迎光临／어서 오십시오.／Xin mời vào.
- □ さようなら／さよなら。 — Goodbye.／再见／안녕히 계세요.／Tạm biệt.
- □ お元気で。 (げんき) — Be well.／多保重／계세요・가세요.／Hãy giữ gìn sức khoẻ.
- □ では／じゃ。 — In that case.／那么／그럼／Tạm biệt.
- □ では、また。 — See you again.／那、再见／그럼 또.／Hẹn gặp lại.
- □ お元気で。 (げんき) — Be well.／多保重／안녕히.／Hãy giữ gìn sức khoẻ.

その他 (た)
Other／其他／그 밖／khác

- □ あのう、 — um／那个…／저 …／này
- □ すみません、 — excuse me／对不起／실례합니다／anh/chị ơi
- □ 失礼ですが、 (しつれい) — excuse me, but／冒昧问一下／실례입니다만／xin lỗi
- □ お願いします。 (ねが) — Please.／拜托／부탁드립니다.／Làm ơn.
- □ 失礼します。 (しつれい) — Excuse me.／失礼／실례합니다.／Xin phép.
- □ どうしましたか。 — Is something the matter?／怎么了？／무슨 일이십니까？／Bạn bị làm sao thế?
- □ いかがですか。 — Do you like it?／怎么样？／어떻습니까？／Bạn cảm thấy thế nào?
- □ いいですね。 — It's nice.／很好啊！／좋군요.／Tốt lắm.
- □ はい、そうです。 — Yes, that's correct.／是．是的。／네, 그렇습니다.／Dạ vâng ạ.
- □ さあ、行きましょう。 (い) — now let's go／那么、我们走吧／자, 갑시다.／Nào, chúng ta hãy đi.
- □ さあ、わかりません。 — Well, I'm not sure.／不知道／글쎄요, 모르겠습니다.／Dạ, tôi không biết.
- □ もしもし。 — hello／喂！喂！／여보세요／Alo
- □ はい／ええ — yes／对／네, 예.／Vâng
- □ いいえ／いえ — no／不／아니오／Không
- □ いや — no／不／아니／Không

例文

① 「**いらっしゃい。さあ、どうぞ。**」「**失礼します。**」

② 「**失礼ですが**、田中さんでしょうか。」「ええ。そうです。」

③ 「**では、また。**」「はい。どうぞ **お元気で。**」

④ 「今日は ありがとうございました。」「いえ、**どういたしまして。**」

⑤ 「**どうぞ よろしく お願いします。**」「**こちらこそ、よろしく。**」

ドリル

正しい ものを 一つ えらびましょう。

1)

① 「さあ、食べて ください。」「はい。じゃ、(　　　)。」

② 「コーヒーは (　　　)。」「じゃ、お願いします。」

③ 「(　　　)、質問して いいですか。」「はい、何でしょうか。」

④ 「(　　　)。」「あのう…財布を 忘れました。」

| a. ごちそうさまでした | b. いかがですか | c. どうしましたか |
| d. すみません | e. いただきます | |

2)

① 〈電話で〉(　　　)、山本です。さくらさんですか。

② 〈レストランで〉「え？ これは 注文していませんよ。」「(　　　)。」

③ 「(　　　)、田中さんでしょうか。」「はい、そうです。」

④ 「いつも ありがとうございます。」「いいえ、(　　　)。」

| a. 失礼しました | b. もしもし | c. こちらこそ |
| d. いただきます | e. 失礼ですが | |

Unit 26～Unit 30 実戦練習

⏳ 15分でチャレンジ

問題1 （　）に 何を 入れますか。1～4から 1つ えらんで ください。

① （　　　）ですから、バスの まどを あけないで ください。
  1 あかるい　　　2 あぶない　　　3 つよい　　　4 あたたかい

② この部屋は 人が いないとき、電気が （　　　）。
  1 つけます　　　2 つきます　　　3 消えます　　　4 消します

③ （　　　）勉強しませんでしたから、半分くらいの 問題が わかりませんでした。
  1 たいへん　　　2 とても　　　3 少し　　　4 あまり

④ めがねを 忘れて、よく 見えませんから、前の （　　　）が いいです。
  1 せき　　　2 ところ　　　3 となり　　　4 もの

⑤ A「（　　　）空港に 行きますか。」
　 B「バスで 行きます。」
  1 どうして　　　2 どうやって　　　3 どのくらい　　　4 どんな

⑥ A「（　　　）。まいあさ新聞です。」
　 B「はーい、今 玄関を 開けますね。」
  1 いらっしゃいませ　　　2 おねがいします
  3 ごめんください　　　4 もしもし

⑦ 今日は 天気が いいですから、外で 練習が （　　　）。
  1 します　　　2 できます　　　3 ならいます　　　4 つくります

⑧ 彼は 体が （　　　）ですから、全然 かぜを ひきません。
  1 じょうず　　　2 たいせつ　　　3 じょうぶ　　　4 だいじょうぶ

問題2 ＿＿＿の 文と だいたい 同じ いみの 文が あります。1～4から 1つ えらんで ください。

① その いちごの ケーキを ください。

1 その いちごの ケーキを あげます。
2 その いちごの ケーキが ほしいです。
3 その いちごの ケーキを うります。
4 その いちごの ケーキが あります。

② かれの へやは きたないです。

1 かれの へやは せまいです。
2 かれの へやは あたらしいです。
3 かれの へやは そうじして いません。
4 かれの へやは せんたくして いません。

③ たなか せんせいは きれいで、しんせつです。

1 たなか せんせいは きれいです。でも、しんせつです。
2 たなか せんせいは きれいです。そして、しんせつです。
3 たなか せんせいは きれいです。あとで、しんせつです。
4 たなか せんせいは きれいです。さきに、しんせつです。

④ コーヒーは いかがですか。

1 コーヒーは どこですか。
2 コーヒーは いくらですか。
3 コーヒーを のみませんか。
4 コーヒーを かいませんか。

N5 げんごちしき (もじ・ごい)

にほんごのうりょくしけん かいとうようし (本試験のみほん)

じゅけんばんごう
Examinee Registration Number

なまえ
Name

〈ちゅうい Notes〉
1. くろいえんぴつ(HB、No.2)でかいてください。
   (ペンやボールペンではかかないでください)
   Use a black medium soft (HB or No.2) pencil.
   (Do not use any kind of pen.)
2. かきなおすときは、けしゴムできれいにけしてください。
   Erase any unintended marks completely.
3. きたなくしたり、おったりしないでください。
   Do not soil or bend this sheet.
4. マークれい Marking examples

よいれい Correct Example	わるいれい Incorrect Examples
●	○ ◐ ◑ ⊘ ⊖ ◯

もんだい 1

1	①	②	③	④
2	①	②	③	④
3	①	②	③	④
4	①	②	③	④
5	①	②	③	④
6	①	②	③	④
7	①	②	③	④
8	①	②	③	④
9	①	②	③	④
10	①	②	③	④

もんだい 2

11	①	②	③	④
12	①	②	③	④
13	①	②	③	④
14	①	②	③	④
15	①	②	③	④
16	①	②	③	④
17	①	②	③	④
18	①	②	③	④

もんだい 3

19	①	②	③	④
20	①	②	③	④
21	①	②	③	④
22	①	②	③	④
23	①	②	③	④
24	①	②	③	④
25	①	②	③	④
26	①	②	③	④
27	①	②	③	④
28	①	②	③	④

もんだい 4

29	①	②	③	④
30	①	②	③	④
31	①	②	③	④
32	①	②	③	④
33	①	②	③	④

PART 3

模擬試験
もぎしけん

Mock examinations
模拟测试
모의고사
Kiểm tra mô phỏng thực tế

第1回　模擬試験

the 1st Mock examinations／
第一次 模拟测试／제1회 모의고사／
Lần thứ nhất Kiểm tra mô phỏng thực tế

もんだい1　＿＿＿の ことばは ひらがなで どう かきますか。1・2・3・4から いちばん いいものを ひとつ えらんで ください。

（れい）　あそこに <u>大きな</u> きが あります。

　　1　おきな　　　2　おおきな　　　3　たいきな　　　4　だいきな

　　（かいとうようし）　（例）　① ● ③ ④

1　わたしの <u>弟</u>は だいがくせいです。

　1　おとと　　　2　おっと　　　3　おうとと　　　4　おとうと

2　<u>夕方</u>、いぬの さんぽに いきます。

　1　うかた　　　2　うがた　　　3　ゆかた　　　4　ゆうがた

3　ちちも ときどき <u>食器</u>を あらいます。

　1　しょくじ　　　2　しょくどう　　　3　しょっき　　　4　しょうき

4　<u>自転車</u>に のって いきましょう。

　1　じてんしゃ　　　2　じでんしゃ　　　3　じとうしゃ　　　4　じどうしゃ

5　<u>足</u>の けがは だいじょうぶですか。

　1　あし　　　2　あたま　　　3　かお　　　4　からだ

6　<u>正月</u>は だいたい いえに います。

　1　しょうがつ　　　2　しょうげつ　　　3　せいがつ　　　4　せいげつ

[7] こっちの 席に すわって ください。
   1 いす   2 せき   3 そと   4 つくえ

[8] ホテルは、ぎんこうと デパートの 間に あります。
   1 そば   2 あいだ   3 となり   4 むかい

[9] 受付は ここです。
   1 うけつき   2 うけつけ   3 うけづき   4 うけづけ

[10] 切符は もう かいましたか。
   1 きりふ   2 せつふ   3 きっぷ   4 せっぷ

もんだい2 ＿＿＿の ことばは どう かきますか。1・2・3・4から いちばん いい ものを ひとつ えらんで ください。

(例) みずが のみたいです。
   1 木   2 米   3 水   4 氷

   (かいとうようし) (例) ① ② ● ④

[11] えれべーたーで いきましょう。
   1 ニレベーター   2 ニレペーター   3 エレベーター   4 エレペーター

[12] こうえんは えきの ひがしに あります。
   1 束   2 車   3 東   4 草

13 えいごは すこし はなします。
　　1 小　　　　2 少　　　　3 子　　　　4 午

14 きょう、てがみを かきました。
　　1 実　　　　2 書　　　　3 暮　　　　4 害

15 おはしが 1ぽん ありません。
　　1 分　　　　2 歩　　　　3 半　　　　4 本

16 しつもんするときは、てを あげてください。
　　1 千　　　　2 手　　　　3 生　　　　4 先

17 おくには どちらですか。
　　1 回　　　　2 困　　　　3 国　　　　4 図

18 しゅうに 3かい、アルバイトを しています。
　　1 送　　　　2 道　　　　3 週　　　　4 通

もんだい3 （　）に なにを いれますか。1・2・3・4から いちばん
いいものを ひとつ えらんで ください。

(例) バスに （　　　） ください。
　1　あがって　　　2　きて　　　　3　ついて　　　4　のって

　（かいとうようし）　(例)　① ② ③ ●

19　この 本は 図書館で （　　　　）。
　1　もらいました　2　かしました　3　かいました　4　かりました

20　妹は （　　　） ですから、授業は 休みません。
　1　きれい　　　2　まじめ　　　3　にぎやか　　　4　たいへん

21　きょうが 15日ですから、（　　　） は 13日ですね。
　1　あさって　　2　ことし　　　3　おととい　　　4　せんしゅう

22　会社へ 行くとき、ぎんこうの 前で バスを （　　　　）。
　1　とおります　2　おります　　3　わたります　　4　とまります

23　わたしの 先生は、背が 高くて （　　　） です。
　1　かっこいい　2　うれしい　　3　たのしい　　　4　かなしい

24　キムさんは （　　　） 日本に いますか。
　1　どちら　　　2　どなた　　　3　どのくらい　　4　どう

25 この映画は (　　　) おもしろいです。

　1　あまり　　　　2　たいてい　　　　3　だんだん　　　　4　ほんとうに

26 A「(　　　) は 何が 好きですか。」
　 B「サッカーが 好きです。」

　1　スポーツ　　　2　ゲーム　　　　3　ドラマ　　　　4　アニメ

27 そうじを しませんから、弟の へやは (　　　) です。

　1　あぶない　　　2　くらい　　　　3　きたない　　　4　おもい

28 A「はじめまして。よろしく おねがいします。」
　 B「(　　　)、よろしく おねがいします。」

　1　失礼しました　2　こちらこそ　　3　いただきます　4　もしもし

もんだい4 ＿＿＿の ぶんと だいたい おなじ いみの ぶんが あります。1・2・3・4から いちばん いい ものを ひとつ えらんで ください。

(れい) でんわ ばんごうを わすれました。

1 でんわ ばんごうを おしえました。
2 でんわ ばんごうを おぼえました。
3 でんわ ばんごうを おしえていません。
4 でんわ ばんごうを おぼえていません。

(かいとうようし) (例) ① ② ③ ●

29 きのう ともだちと しょくじを しました。

1 きのう ともだちと さんぽを しました。
2 きのう ともだちと ごはんを 食べました。
3 きのう ともだちと かいものを しました。
4 きのう ともだちと せんたくを しました。

30 この りょうりは すこし からい ですね。

1 この りょうりは すごく からい ですね。
2 この りょうりは ちょっと からい ですね。
3 この りょうりは ときどき からい ですね。
4 この りょうりは もっと からい ですね。

31 いつも いそがしいです。

1 いつも げんきです。
2 いつも しずかです。
3 いつも じかんに おくれます。
4 いつも やることが おおいです。

32 わたしの しつもんは それだけでした。

1 わたしは それだけ かいました。
2 わたしは それだけ ききました。
3 わたしは それだけ ちゅうもんしました。
4 わたしは それだけ わかりませんでした。

33 へんじは あしたでも いいですか。

1 へんじは あしたでも べんりですか。
2 へんじは あしたでも しんせつですか。
3 へんじは あしたでも だいじょうぶですか。
4 へんじは あしたでも もちろんですか。

第2回　模擬試験

the 2nd Mock examinations／
第二次 模拟测试／제2회 모의고사／
Lần thứ hai Kiểm tra mô phỏng thực tế

もんだい1　＿＿＿の ことばは ひらがなで どう かきますか。1・2・3・4から いちばん いいものを ひとつ えらんで ください。

（れい）　あそこに <u>大きな</u> きが あります。

1　おきな　　　2　おおきな　　　3　たいきな　　　4　だいきな

（かいとうようし）　(例)　① ● ③ ④

1　<u>病院</u>の いりぐちは どこですか。

1　びよういん　　2　びょういん　　3　びようかん　　4 びょうにん

2　ここに とうきょうの <u>地図</u>が あります。

1　じず　　　　2　じと　　　　3　ちず　　　　4　ちと

3　<u>信号</u>が ないので、ちゅういして わたって ください。

1　げんこう　　2　しんこう　　3　げんごう　　4　しんごう

4　<u>音楽</u>を きくのが すきです。

1　おがく　　　2　おうがく　　3　おとがく　　4　おんがく

5　<u>映画</u>を よく 見ます。

1　えか　　　　2　えが　　　　3　えいか　　　4　えいが

6　まどが <u>閉まって</u> います。

1　きまって　　2　こまって　　3　しまって　　4　とまって

[7] きょうは かぜが 強いです。
　1　きらい　　　2　こわい　　　3　つよい　　　4　はやい

[8] 6じごろ ホテルに 着きます。
　1　ききます　　2　つきます　　3　とどきます　4　ひらきます

[9] らいげつの 一日から なつやすみです。
　1　いちか　　　2　いつか　　　3　いつたち　　4　ついたち

[10] テーブルの 上に ものを おかないで ください。
　1　うえ　　　　2　した　　　　3　そば　　　　4　なか

もんだい2 ＿＿＿の ことばは どう かきますか。1・2・3・4から いちばん いいものを ひとつ えらんで ください。

(例) みずが のみたいです。
　1　木　　　　　2　米　　　　　3　水　　　　　4　氷

(かいとうようし)　(例)　① ② ● ④

[11] かぎは ぽけっとの なかに ありました。
　1　パケート　　2　パケット　　3　ポケート　　4　ポケット

[12] じゅぎょうは 1かい 50ぷんです。
　1　刀　　　　　2　力　　　　　3　分　　　　　4　今

13 おみやげも かいました。
　1 負いました　　2 貨いました　　3 貸いました　　4 買いました

14 日本の ふるい えいがを 見ました。
　1 占い　　　　2 古い　　　　3 右い　　　　4 合い

15 おみせの なまえは 「いちばん」です。
　1 広　　　　　2 床　　　　　3 店　　　　　4 度

16 きんようびは いそがしいです。
　1 全　　　　　2 会　　　　　3 金　　　　　4 釜

17 にしがわの へやは すこし せまいです。
　1 而　　　　　2 百　　　　　3 西　　　　　4 酉

18 それは せんせいから ききました。
　1 閉きました　　2 開きました　　3 間きました　　4 聞きました

もんだい3 （　）に　なにを　いれますか。1・2・3・4から　いちばん　いいものを　ひとつ　えらんで　ください。

(例)　バスに　（　　　）　ください。

1　あがって　　　2　きて　　　　3　ついて　　　　4　のって

（かいとうようし）　(例)　① ② ③ ●

19　たくさん　あるきましたから、とても　（　　　）。

1　だしました　　2　はしりました　3　たちました　　4　つかれました

20　これ、せんえんですか。（　　　）たかく　ないですね。

1　もちろん　　2　たいてい　　3　あまり　　4　とても

21　あきになって、（　　　）なりました。

1　すずしく　　2　あつく　　3　あたたかく　　4　つめたく

22　あそこに　しんごうが　（　　　）ね。あの　まえです。

1　たちます　　2　きこえます　　3　おきます　　4　みえます

23　（　　　）で　おにくを　きりました。

1　スプーン　　2　グラス　　3　ナイフ　　4　メニュー

24　（　　　）が　ありますから、きょうは　やすみます。

1　かぜ　　2　ねつ　　3　のど　　4　きぶん

25　とても　（　　　）いえですね。

1　りっぱな　　2　まじめな　　3　しんせつな　　4　だいじょうぶな

26 りょうこうの おかねを はらいますから、5まんえん（　　　）。

1　きえます　　　2　でます　　　3　なくします　　　4　いります

27 シャツや ズボンなどを（　　　）。

1　しめました　　　　　　　　2　せんたくしました
3　さんぽしました　　　　　　4　そうじしました

28 やさしい かんじは（　　　）わかります。

1　たいへん　　　2　ちょうど　　　3　ゆっくり　　　4　だいたい

もんだい4 ＿＿＿の ぶんと だいたい おなじ いみの ぶんが あります。
1・2・3・4から いちばん いい ものを ひとつ えらんで
ください。

(れい) でんわ ばんごうを わすれました。

1 でんわ ばんごうを おしえました。
2 でんわ ばんごうを おぼえました。
3 でんわ ばんごうを おしえていません。
4 でんわ ばんごうを おぼえていません。

(かいとうようし)　(例)　① ② ③ ●

29　いちにちじゅう べんきょうを しました。

1 いちにち ずっと べんきょうしました。
2 いちにちだけ べんきょうしました。
3 いちにち まったく べんきょうしませんでした。
4 いちにち あまり べんきょうしませんでした。

30　レストランが こんでいました。

1 レストランの りょうりが あまり おいしくなかったです。
2 レストランの りょうりが とても おいしかったです。
3 レストランに ひとが あまり いませんでした。
4 レストランに ひとが たくさん いました。

31　わたしは ほんやで はたらきました。

1 わたしは ほんやで ほんを かいました。
2 わたしは ほんやで しごとを しました。
3 わたしは ほんやで おかねを はらいました。
4 わたしは ほんやで てんいんと はなしました。

32　わたしは　せんせいに　えいごを　ならいました。

　1　わたしは　せんせいに　えいごを　おしえました。
　2　わたしは　せんせいに　えいごで　しつもんしました。
　3　せんせいは　わたしに　えいごを　おしえました。
　4　せんせいは　わたしに　えいごで　しつもんしました。

33　かれから　まだ　へんじが　ありません。

　1　かれは　まだ　かわっていません。
　2　かれは　まだ　こたえていません。
　3　かれは　まだ　ぐあいが　わるいです。
　4　かれは　まだ　あいさつを　していません。

さくいん

Index／索引／색인／Chỉ mục

●T
- Tシャツ ･･････････････ 11

●あ
- あいだ ･･････････････ 10
- あう［会う］････････････ 3
- あおい ･･････････････ 11
- あかい ･･････････････ 11
- あかちゃん ･･････････････ 1
- あがります ･･････････････ 16
- あかるい ････････････ 6、27
- あき ･･････････････ 5
- あけます ･･････････････ 6
- あさ ･･････････････ 3
- あさごはん ･･････････････ 6
- あさって ･･････････････ 3
- あし ･･････････････ 21
- アジア ･･････････････ 24
- あした ･･････････････ 3
- あそこ ･･････････････ 9
- あそびます ････････････ 2、20
- あたたかい［暖かい］･･････ 5
- あたたかい［温かい］････ 27
- あたま ･･････････････ 21
- あたまがいい ･･････････････ 25
- あたらしい ･･････････････ 12
- あちら ･･････････････ 9
- あつい［暑い］････････････ 5
- あつい［厚い］･･････････ 27
- あっち ･･････････････ 9
- あと ･･････････････ 4
- あとで ･･････････････ 3
- あなた ･･････････････ 1
- あに ･･････････････ 1
- アニメ ････････････ 20、24
- あね ･･････････････ 1
- あの ･･････････････ 9
- あのかた ･･････････････ 9
- あのう ･･････････････ 30

- アパート ･･････････････ 16
- あびます ･･････････････ 6
- あぶない ･･････････････ 27
- あぶら ･･････････････ 8
- あまい ･･････････････ 7
- あまり〜ない ････････ 13、27
- あめ ･･････････････ 5
- アメリカ ･･････････････ 24
- あらいます ･･････････････ 6
- あります ･････ 18、21、26
- ある ･･････････････ 3
- あるきます ･･････････････ 6
- アルバイト ･･････････････ 19
- あれ ･･････････････ 9

●い
- いい ･･････････････ 5
- いいえ ･･････････････ 30
- いいですね ･･････････････ 30
- いいます ････････････ 3、23
- いえ［家］･4、6、9、10、16
- いえ ･･････････････ 30
- いかがですか ･･････････････ 30
- いきます ･･････････････ 2
- イギリス ･･････････････ 24
- いくつ ･･････････････ 1
- いけ ･･････････････ 17
- いしゃ ････････････ 1、19
- いす ･･････････ 7、16、22
- いそがしい ･･････････････ 6
- いたい ･･････････････ 21
- いただきます ･･････････････ 30
- いちにちじゅう ･･････････････ 4
- いちばん ･･････････････ 13
- いつ ････････････ 3、29
- いっしょに ･･････････････ 1
- いつも ･･････････････ 3
- いぬ ･･････････････ 17
- いま ････････････ 3、4、9

- います ･･････････････ 1
- いります ･･････････････ 26
- いもうと ･･････････････ 1
- いや ･･････････････ 30
- いらっしゃい ･･････････････ 30
- いらっしゃいませ ･･････････････ 30
- いりぐち ･･････････････ 16
- いろ ･･････････････ 11
- インターネット ････････ 23
- インドネシア ････････ 24

●う
- うえ ･･････････････ 10
- うけつけ ･･････････････ 19
- うけます ･･････････････ 18
- うしろ ･･････････････ 10
- うすい ･･････････････ 27
- うた ･･････････････ 20
- うたいます ･･････････････ 20
- うち ･･････････････ 16
- うどん ･･････････････ 8
- うまれます ････････ 3、17
- うみ ･･････････ 2、17
- うります ･･････････････ 12
- うれしい ･･････････････ 25
- うれます ･･････････････ 12

●え
- え［絵］･･････････ 14、20
- エアコン ･･････ 5、16
- エアメール ････････ 23
- えいが ･･････････ 14、20
- えいがかん ･･････････････ 14
- えいご ････････････ 2、18
- ええ ･･････････････ 30
- えき ･･････････････ 6
- エレベーター ････････ 16
- エンジニア ････････ 19
- えんぴつ ･･････････････ 22

●お

おいしい ・・・・・・・・・・・・・・・・ 7
おおい ・・・・・・・・・・・・・・・・・・ 13
おおきい ・・・・・・・・・・・・・・・・ 11
オーストラリア ・・・・・・・・・ 24
おおぜい ・・・・・・・・・・・ 13、19
オートバイ ・・・・・・・・・・・・・ 15
おかあさん ・・・・・・・・・・・・・・ 1
おかし ・・・・・・・・・・・・・・・・・・ 8
おかね ・・・・・・・・・・・・・・・・・ 12
おきます［起きます］・・・・・・ 6
おきます［置きます］・・・・・ 16
おくさん ・・・・・・・・・・・・・・・・ 2
おくります ・・・・・・・・・・・・・ 23
お元気で ・・・・・・・・・・・・・・・ 30
おげんきで ・・・・・・・・・・・・・ 30
おこります［怒ります］・・・・ 25
おじいさん ・・・・・・・・・・・・・・ 1
おしえます ・・・・・・・・・・・・・・ 2
おじさん ・・・・・・・・・・・・・・・・ 1
おします ・・・・・・・・・・・・・・・ 22
おちゃ ・・・・・・・・・・・・・・・・・・ 8
おつり ・・・・・・・・・・・・・・・・・ 12
おてあらい ・・・・・・・・・・・・・・ 4
おと ・・・・・・・・・・・・・・・・・・・ 17
おとうさん ・・・・・・・・・・・・・・ 1
おとうと ・・・・・・・・・・・・・・・・ 1
おとこ ・・・・・・・・・・・・・・・ 1、2
おとこのこ ・・・・・・・・・・・・・・ 1
おととい ・・・・・・・・・・・・・・・・ 3
おととし ・・・・・・・・・・・・・・・・ 3
おとな ・・・・・・・・・・・・・・・・・・ 2
おなか ・・・・・・・・・・・・・・・・・ 21
おにいさん ・・・・・・・・・・・・・・ 1
おにぎり ・・・・・・・・・・・・・・・・ 8
おねえさん ・・・・・・・・・・・・・・ 1
おねがい（します）・・・・ 23、30
おばあさん ・・・・・・・・・・・・・・ 1
おばさん ・・・・・・・・・・・・・・・・ 1
おはようございます ・・・・・ 30
おふろ ・・・・・・・・・・・・・・・・・・ 6
おぼえます ・・・・・・・・・・・・・ 18
おまわりさん ・・・・・・・・・・・ 14
おもい ・・・・・・・・・・・・・・・・・ 27
おもしろい ・・・・・・・・・ 20、25

おや［親］・・・・・・・・・・・・・・・・ 1
おやすみなさい ・・・・・・・・・ 30
おゆ ・・・・・・・・・・・・・・・・・・・・ 8
おります［降ります］・15、16
おります［下ります］・・・・・ 16
おわり ・・・・・・・・・・・・・・・・・・ 3
おわります ・・・・・・・・・・・・・・ 4
おんがく ・・・・・・・・・・・・・・・ 20
おんな ・・・・・・・・・・・・・・・ 1、2
おんなのこ ・・・・・・・・・・・・・・ 1

●か

〜が ・・・・・・・・・・・・・・・・・・・ 29
カード ・・・・・・・・・・・・・ 12、22
（お）かいけい ・・・・・・・・・・・・ 7
がいこく ・・・・・・・・・・・・・・・ 24
がいこくじん ・・・・・・・・・・・ 24
かいしゃ ・・・・・・・・・・・・・ 1、19
かいしゃいん ・・・・・・・・・・・・ 1
かいしゃいん ・・・・・・・・・・・ 19
かいだん ・・・・・・・・・・・・・・・ 16
かいもの（します）・・・・・・・・ 12
かう ・・・・・・・・・・・・・・・・・・・ 12
かえります ・・・・・・・・・・・・・・ 6
かお ・・・・・・・・・・・・・・・・ 6、21
かかります ・・・・・・・・・・・・・・ 4
かぎ ・・・・・・・・・・・・・・・・ 6、22
かきます ・・・・・・・・・・・・・・・ 18
かく ・・・・・・・・・・・・・・・・・・・ 18
がくせい ・・・・・・・・・・・・ 1、18
〜かげつ ・・・・・・・・・・・・・・・・ 4
かけます［かぎを〜］・・ 6、22
かけます［めがねを〜］・・・・ 11
かさ ・・・・・・・・・・・・・・・・・・・・ 5
かぜ［風］・・・・・・・・・・・・・・・・ 5
かぜ［風邪］・・・・・・・・・・・・・ 21
かぞく ・・・・・・・・・・・・・・・・・・ 1
〜かた ・・・・・・・・・・・・・・・・・・ 9
かたかな ・・・・・・・・・・・・・・・ 18
かたち ・・・・・・・・・・・・・・・・・ 28
かっこいい ・・・・・・・・・・・・・ 25
がっこう ・・・・・・・・・・・ 1、2、18
かど ・・・・・・・・・・・・・・・・・・・ 15
かなしい ・・・・・・・・・・・・・・・ 25
（お）かね ・・・・・・・・・・・・・・・ 12

かのじょ ・・・・・・・・・・・・・・・・ 1
かばん ・・・・・・・・・・・・・ 10、11
かびん ・・・・・・・・・・・・・・・・・ 22
カフェ ・・・・・・・・・・・・・・・・・ 14
かぶります ・・・・・・・・・・・・・ 11
かべ ・・・・・・・・・・・・・・・・・・・ 16
かみ［髪］・・・・・・・・・・・・・・・ 21
かみ［紙］・・・・・・・・・・・・・・・ 22
カメラ ・・・・・・・・・・・・・・・・・ 22
からい ・・・・・・・・・・・・・・・・・・ 7
カラオケ ・・・・・・・・・・・ 20、24
ガラス ・・・・・・・・・・・・・・・・・ 22
からだ ・・・・・・・・・・・・・・・・・ 21
かれ ・・・・・・・・・・・・・・・・・・・・ 1
カレー ・・・・・・・・・・・・・・・・・・ 8
かわ ・・・・・・・・・・・・・・・・・・・ 17
かわいい ・・・・・・・・・・・ 11、25
かんこく ・・・・・・・・・・・・・・・ 24
かんじ ・・・・・・・・・・・・・・・・・ 18
カンボジア ・・・・・・・・・・・・・ 24

●き

き［木］・・・・・・・・・・・・・ 17、22
きえます ・・・・・・・・・・・・・・・ 26
きこえます ・・・・・・・・・・・・・ 17
きた ・・・・・・・・・・・・・・・・・・・ 10
ギター ・・・・・・・・・・・・・・・・・ 20
きたない ・・・・・・・・・・・・・・・ 27
きっさてん ・・・・・・・・・・・・・ 14
きって ・・・・・・・・・・・・・・・・・ 23
きのう ・・・・・・・・・・・・・・・・・・ 3
きぶん ・・・・・・・・・・・・・・・・・ 21
きます［着ます］・・・・・・ 6、11
きもち ・・・・・・・・・・・・・・・・・ 25
きもの ・・・・・・・・・・・・・ 11、24
（お）きゃく ・・・・・・・・・・ 7、19
ぎゅうにく ・・・・・・・・・・・・・・ 8
ぎゅうにゅう ・・・・・・・・・・・・ 8
きょう ・・・・・・・・・・・・・・・・・・ 3
きょうかしょ ・・・・・・・・・・・ 18
きょうし ・・・・・・・・・・・ 18、19
きょうしつ ・・・・・・・・・ 18、20
きょうだい ・・・・・・・・・・・・・・ 1
きょねん ・・・・・・・・・・・・・・・・ 3
きらい（な）・・・・・・・・・・ 7、25

121

きれい(な) ……… 16、25	こうちゃ ……………… 8	さいふ ……………… 12
気をつけます ……… 21	こうばん …………… 14	さかな …………… 8、17
ぎんこう …………… 14	こえ ………………… 17	さかなや …………… 14
	コート ……………… 11	さき ………………… 10
●く	コーヒー …………… 8	さきに ……………… 3
くうこう …………… 15	ここ ………………… 9	さきます …………… 17
くすり ……………… 21	ごご ………………… 3	さくぶん …………… 18
くすりや …………… 14	ごぜん ……………… 3	さくら ……………… 17
ください …………… 26	ごちそうさま ……… 30	(お)さけ …………… 8
くだもの …………… 8	こちら ……………… 9	さします …………… 5
くち ………………… 21	こちらこそ ………… 30	さしみ ……………… 8
くつ ………………… 11	こっち ……………… 9	サッカー …………… 20
くつした …………… 11	コップ …………… 7、22	ざっし ……………… 20
くに ……………… 1、24	〜こと ……………… 28	さとう ……………… 8
くも ……………… 5、17	ことし ……………… 3	さびしい …………… 25
くもり ……………… 5	ことば ………… 18、23	さむい ……………… 5
くもります ………… 5	こども …………… 1、2	さようなら ………… 30
〜くらい …………… 4	こどもたち ………… 2	さら ………………… 7
くらい[暗い]…… 6、27	この ………………… 9	さんぽ(します) …… 5
クラシック ………… 20	このかた …………… 9	
クラス …………… 2、18	〜ごはん …………… 6	●し
グラス ……………… 7	ごはん …………… 7、8	しあい ……………… 20
くるま …………… 10、15	コピー(します) …… 19	ジーンズ …………… 11
クレジットカード …… 12	ごみ ………………… 6	しお ………………… 8
くろい ……………… 11	こみます …………… 7	じかん ……………… 3
	(お)こめ …………… 8	〜じかん …………… 4
●け	ごめんください …… 30	しごと ………… 4、6、19
けいざい …………… 18	ごめんなさい ……… 30	じしょ ……………… 18
けいさつ …………… 14	これ ………………… 9	〜じすぎに ………… 4
けいたいでんわ …… 23	〜ころ ……………… 4	した ………………… 10
ゲーム ……………… 20	〜ごろ ……………… 4	したぎ ……………… 11
けさ ………………… 3	こわい ……………… 25	しつもん(します) … 18
けしき ……………… 17	こんげつ …………… 3	失礼しました ……… 30
けしゴム …………… 22	コンサート ………… 20	しつれいします …… 30
けします ………… 6、22	こんしゅう ………… 3	しつれいですが …… 2、30
げんかん …………… 16	こんにちは ………… 30	じてんしゃ ………… 15
げんき(な) ………… 1	こんばん …………… 3	じどうしゃ ………… 15
けんきゅう(します) … 18	こんばんは ………… 30	しにます …………… 17
	コンビニ …………… 12	〜じはん …………… 4
●こ		じぶん ……………… 2
こうえん ………… 2、20	●さ	します …………… 6、7
こうくうびん ……… 23	さあ[さあ、行きましょう]30	します[時計を〜]…… 11
こうこう …………… 18	さあ[さあ、わかりません]30	しまります ………… 12
こうさてん ………… 15	サービス ………… 12、19	じむしょ …………… 19
こうじょう ………… 2	〜さい ……………… 1	しめます[窓を〜]…… 6

122

しめます［ネクタイを～］‥11	（お）すし ………………… 8	それ ……………………… 9
じゃ ………………… 29、30	すずしい ………………… 5	それから ……………… 29
シャーペン …………… 22	～ずつ …………………… 13	
しゃしん …………… 20、22	すっぱい ………………… 7	●た
ジャズ …………………… 20	すてます ………………… 6	だいがく ……………… 2、18
しゃちょう …………… 19	ストーブ ………………… 5	だいがくせい ………… 2
シャツ …………………… 11	スニーカー …………… 11	たいしかん …………… 14
シャワー ………………… 6	スプーン ………………… 7	だいじょうぶ ………… 27
～じゅう［中］………… 4	スポーツ ……………… 20	たいせつ（な）………… 27
～しゅうかん …………… 4	ズボン …………………… 11	だいたい ……………… 13
じゅうしょ …………… 28	スマホ ………………… 23	たいてい ……………… 27
ジュース ………………… 8	すみます［住みます］‥1、16	だいどころ …………… 16
じゅうどう …………… 24	すみません …………… 30	たいへん ……………… 13、27
じゅぎょう ………… 4、18	すもう ………………… 24	たいわん ……………… 24
しゅくだい ………… 6、18	スリッパ ……………… 16	たかい ………………… 12、21
しょうがつ …………… 24	スリランカ …………… 24	たくさん ……………… 2、13
しょうがっこう ……… 18		タクシー ……………… 15
じょうず ……………… 20	●せ	～だけ ………………… 13
しょうひん ………… 12、19	せ ………………………… 21	だします ……………… 18、23
じょうぶ（な）………… 27	せいと …………………… 18	～たち …………………… 2
しょうゆ ………………… 8	セーター ……………… 11	たちます ……………… 26
しょくじ ………………… 7	せかい ………………… 24	たっきゅう …………… 20
しょくどう …………… 14	せき …………………… 28	たてもの ……………… 16
しょっき ………………… 7	せっけん ……………… 22	たのしい ……………… 25
しろい …………………… 11	せまい ………………… 16	たべます ……………… 6、7
～じん ………………… 24	せんげつ ………………… 3	たべもの ……………… 7、8
しんかんせん ………… 15	せんしゅう ……………… 3	たまご ………………… 8、17
しんごう ……………… 15	せんせい ……………… 1、18	だれ ……………………… 2
じんじゃ ……………… 14	せんたく（します）…… 6	たんじょうび ………… 4
しんせつ（な）………… 25	ぜんぶ ………………… 13	ダンス ………………… 20
しんぶん …………… 6、23		だんだん ……………… 5、27
	●そ	
●す	そうじ（します）……… 6	●ち
すいえい ……………… 20	そうです ……………… 30	ちいさい ……………… 11
すいます ……………… 26	そくたつ ……………… 23	チーズ …………………… 8
スーツ ………………… 11	そこ ……………………… 9	ちかい ………………… 10
スーパー ……………… 12	そして ………………… 29	ちかく ………………… 10
スープ …………………… 8	そちら …………………… 9	ちかてつ ……………… 15
スカート ……………… 11	そつぎょう（します）…… 18	チケット ……………… 14
すき（な）…………… 7、25	そっち …………………… 9	ちず …………………… 14
スキー ………………… 20	そと …………………… 5、10	ちち ……………………… 1
すくない ……………… 13	その ……………………… 9	ちゃいろい …………… 11
すぐに …………………… 3	そのかた ………………… 9	～ちゅう［中］………… 4
すごく ………………… 13	そば …………………… 8、10	ちゅうがっこう ……… 18
すこし ………………… 13	そら …………………… 5、17	ちゅうごくご ………… 18

123

ちゅうもん（します）……… 7
ちょうど ………… 4、13
ちょっと ………… 3、13

●つ

ついています ………… 11
つかれます ………… 26
つきます ……………… 4
つくえ ………… 10、18
つくります …………… 6
つけます［エアコンを～］
………………… 5、6
つけます［ゆびわを～］…11
つたえます …………… 23
つとめます …………… 19
つまらない …………… 20
つめたい ………… 5、27
つよい …………… 5、27

●て

て ……………………… 21
Tシャツ ……………… 11
テーブル ………… 7、16
でかけます …………… 6
てがみ ………………… 23
できます ……………… 26
でぐち ………………… 16
デザート ……………… 7
テスト ………………… 18
てちょう ……………… 22
テニス ………………… 20
では、また。………… 30
デパート ……………… 12
でます ……… 4、18、20
でも …………………… 29
てら …………………… 14
テレビ …………… 6、23
てんいん ………… 7、19
てんき ………………… 5
でんき ………………… 6
でんごん ……………… 23
でんしゃ ……………… 15
てんちょう …………… 19
てんぷら ……………… 8
でんわ（します）……… 23

●と

と［戸］………………… 16
ドア …………………… 16
ドイツ ………………… 24
トイレ …………… 4、16
どう …………………… 29
どういたしまして ……… 30
どうして ……………… 29
どうしましたか ……… 30
どうぞ ………………… 27
どうぞよろしく ……… 30
どうぶつ ……………… 17
どうもありがとうございます
………………………… 30
どうやって …………… 29
とおい ………………… 10
とおります …………… 15
～とき ………………… 4
ときどき ………… 3、13
とけい ………… 11、22
どこ …………………… 9
ところ ………………… 14
（お）とし ……………… 1
としょかん …………… 14
とっきゅう …………… 15
どっち ………………… 9
とても …………… 5、13
どなた ………………… 9
となり ………………… 10
どの …………………… 9
どのくらい …………… 29
とびます ……………… 17
トマト ………………… 7
とまります …………… 15
ともだち ……………… 2
ドラマ ………………… 20
とり …………………… 17
とりにく ……………… 8
とります［ちゅうもんを～］…7
とります［しゃしんを～］
……………………… 20、22
とる［ぼうしを～］…… 11
どれ …………………… 9
どんな ………………… 9

●な

ない …………………… 26
ナイフ …………… 7、22
なか ……………… 5、10
ながい ………………… 11
なきます ……………… 17
なくします …………… 26
なぜ …………………… 29
なつ …………………… 5
なつやすみ …………… 4
～など ………………… 13
なに …………………… 29
なまえ ………………… 2
ならいます ……… 18、20
なります ………… 19、21
なります ……………… 21
なんじ ………………… 4
なんで ………………… 29

●に

にがい ………………… 7
にぎやか（な）……… 14、27
にく …………………… 8
にくや ………………… 14
にし …………………… 10
～にち ………………… 4
にほん ………………… 1
にほんご ………… 2、18
にほんじん …………… 1
にもつ ………………… 23
にゅうがく（します）…… 18
ニュース ………… 6、23
にわ …………………… 16

●ぬ

ぬぎます ………… 6、11

●ね

ネクタイ ……………… 11
ねこ …………………… 17
ねだん ………………… 12
ねつ …………………… 21
ネパール ……………… 24
ねます ………………… 6
～ねん ………………… 4

124

●の

- ノート ・・・・・・・・・・・・・・・ 18
- のど ・・・・・・・・・・・・・・・・・ 21
- のぼります ・・・・・・・・・・・ 20
- のみます ・・・・・・・・・・・・・ 21
- のみもの ・・・・・・・・・・・・・・ 7
- のりば ・・・・・・・・・・・・・・・ 15
- のります ・・・・・・・・・・・・・ 15
- のる ・・・・・・・・・・・・・・・・・ 16

●は

- は［歯］ ・・・・・・・・・・ 6、21
- パーティー ・・・・・・・・・・・・ 4
- はい ・・・・・・・・・・・・・・・・・ 30
- バイク ・・・・・・・・・・・・・・・ 15
- はいります ・・・・・・・・・・・・ 6
- はがき ・・・・・・・・・・・・・・・ 23
- はく ・・・・・・・・・・・・・・・・・ 11
- はこ ・・・・・・・・・・・・・・・・・ 22
- はし ・・・・・・・・・・・・・・・・・・ 7
- はし［橋］ ・・・・・・・・・・・ 15
- はじまります ・・・・・・・・・・ 4
- はじめ［初め］ ・・・・・・・・ 3
- はじめて ・・・・・・・・・・・・・・ 3
- はじめまして ・・・・・・・・・ 30
- はじめます［始めます］ ・・・・・ 3
- バス ・・・・・・・・・・・・・・・・・ 15
- バスケットボール ・・・・・・ 20
- パソコン ・・・・・・・・・・・・・ 18
- バター ・・・・・・・・・・・・・・・・ 8
- はたらきます ・・・・・・・ 2、19
- はな［花］ ・・・・・・・・・・・ 17
- はな［鼻］ ・・・・・・・・・・・ 21
- はなします ・・・・・ 6、18、23
- はなや ・・・・・・・・・・・・・・・ 14
- はは ・・・・・・・・・・・・・・・・・・ 1
- はらいます ・・・・・・・・・・・ 12
- はります ・・・・・・・・・・・・・ 23
- はる ・・・・・・・・・・・・・・・・・・ 5
- はれ ・・・・・・・・・・・・・・・・・・ 5
- はれます ・・・・・・・・・・・・・・ 5
- ばん ・・・・・・・・・・・・・・・・・・ 3
- パン ・・・・・・・・・・・・・・・・・・ 8
- ばんごう ・・・・・・・・・・・・・ 28
- ばんごはん ・・・・・・・・・・・・ 6
- はんぶん ・・・・・・・・・・・・・ 13
- パンや ・・・・・・・・・・・・・・・ 14

●ひ

- ピアノ ・・・・・・・・・・・・・・・ 20
- ビール ・・・・・・・・・・・・・・・・ 8
- ひがし ・・・・・・・・・・・・・・・ 10
- ひきます［ギターを～］ ・・・・ 20
- ひきます［かぜを～］ ・・・・ 21
- ひくい ・・・・・・・・・・・・・・・ 21
- ひこうき ・・・・・・・・・・・・・ 15
- びじゅつかん ・・・・・・・・・ 14
- ひだり ・・・・・・・・・・・・・・・ 10
- ひと ・・・・・・・・・・・・・・・・・・ 2
- ひとつき ・・・・・・・・・・・・・・ 4
- ひま（な） ・・・・・・・・・・・ 20
- びょういん ・・・・・・・・・・・ 14
- びょうき ・・・・・・・・・・・・・ 21
- ひらがな ・・・・・・・・・・・・・ 18
- ひらきます ・・・・・・・・・・・ 12
- ひる ・・・・・・・・・・・・・・・・・・ 3
- ビル ・・・・・・・・・・・・・ 10、16
- ひるごはん ・・・・・・・・・・・・ 6
- ひろい ・・・・・・・・・・・・・・・ 16

●ふ

- ふうとう ・・・・・・・・・・・・・ 22
- プール ・・・・・・・・・・・・・・・ 20
- フォーク ・・・・・・・・・・・・・・ 7
- ふきます ・・・・・・・・・・・・・・ 5
- ふく ・・・・・・・・・・・・・・ 6、11
- ぶたにく ・・・・・・・・・・・・・・ 8
- ふとい ・・・・・・・・・・・・・・・ 27
- ふね ・・・・・・・・・・・・・・・・・ 15
- ふゆ ・・・・・・・・・・・・・・・・・・ 5
- ブラジル ・・・・・・・・・・・・・ 24
- フランス ・・・・・・・・・・・・・ 24
- フランスご ・・・・・・・・・・・ 18
- ふります ・・・・・・・・・・・・・・ 5
- ふるい ・・・・・・・・・・・・・・・ 12
- ぶんしょう ・・・・・・・・・・・ 23

●へ

- ページ ・・・・・・・・・・・・・・・ 22
- へた ・・・・・・・・・・・・・・・・・ 20
- ベッド ・・・・・・・・・ 6、10、16
- ペット ・・・・・・・・・・・・・・・・ 1
- ベトナム ・・・・・・・・・・・・・ 24
- へや ・・・・・・・・・・・・・ 6、16
- ペン ・・・・・・・・・・・・・・・・・ 22
- べんきょう（します） 2、4、18
- （お）べんとう ・・・・・・・・・ 8

●ほ

- ～ほう ・・・・・・・・・・・・・・・ 28
- ぼうし ・・・・・・・・・・・・・・・ 11
- ホーム ・・・・・・・・・・・・・・・ 15
- ボールペン ・・・・・・・・・・・ 22
- ポケット ・・・・・・・・・・・・・ 11
- ポスト ・・・・・・・・・・・・・・・ 14
- ほそい ・・・・・・・・・・・・・・・ 27
- ボタン ・・・・・・・・・・・ 11、22
- ホテル ・・・・・・・・・・・・・・・ 14
- ほん ・・・・・・・・・・・・・・・・・ 12
- ほんこん ・・・・・・・・・・・・・ 24
- ほんだな ・・・・・・・・・ 10、16
- ほんとうに ・・・・・・・・・・・ 27
- ほんや ・・・・・・・・・・・・・・・ 14

●ま

- まいあさ ・・・・・・・・・・・・・・ 6
- まいしゅう ・・・・・・・・・・・・ 6
- まいつき ・・・・・・・・・・・・・・ 6
- まいとし ・・・・・・・・・・・・・・ 6
- まいにち ・・・・・・・・・・・・・・ 6
- まいばん ・・・・・・・・・・・・・・ 6
- ～まえ ・・・・・・・・・・・・・・・・ 4
- まえ ・・・・・・・・・・・・・・・・・ 10
- まえに ・・・・・・・・・・・・・・・・ 4
- まがります ・・・・・・・・・・・ 15
- まじめ（な） ・・・・・・・・・・ 25
- まずい ・・・・・・・・・・・・・・・・ 7
- まだ ・・・・・・・・・・・・・・・・・・ 3
- まち ・・・・・・・・・・・・・・・・・ 14
- まちます ・・・・・・・・・・・ 3、4
- まっすぐ ・・・・・・・・・・・・・ 15
- まつり ・・・・・・・・・・・・・・・ 24

まど ……………… 6、16	もっと ……………… 5、13	ランチ ………………… 7
まるい ………………… 27	～もの ………………… 28	**●り**
マレーシア …………… 24	もらいます ………… 12	りっぱ（な）……… 16、27
マンガ ………………… 20	もん …………………… 16	リモコン ……………… 22
まんが ………………… 24	モンゴル ……………… 24	りゅうがく（します）…… 4
●み	**●や**	りゅうがくせい ……… 2
みえます ……………… 17	～や［屋］…………… 14	りょうしん …………… 1
みがきます …………… 6	やおや ………………… 14	りょうり ……… 6、7、20
みぎ …………………… 10	やきゅう ……………… 20	りょこう（します）…… 4
みじかい ……………… 11	やさい ………………… 8	**●れ**
（お）みず …………… 8	やさしい ……………… 25	れいぞうこ ……… 8、16
みせ ……………… 7、12	やすい ………………… 12	レジ …………………… 12
みそしる ……………… 8	やすみ ………………… 4	レポート ……………… 18
みち …………………… 10	やすみます …………… 4	れんしゅう（します）… 4、20
みなさん ……………… 2	やっきょく …………… 21	れんらく（します）…… 23
みなみ ………………… 10	やま ……………… 17、20	**●ろ**
みます ………………… 6	やります ……………… 6	ろうか ………………… 16
みみ …………………… 21	**●ゆ**	ロシア ………………… 24
ミャンマー …………… 24	ゆうがた ……………… 3	**●わ**
ミルク ………………… 8	ゆうはん ……………… 6	ワイン ………………… 8
みんな ………………… 2	ゆうびんきょく ……… 14	わかい ………………… 25
●む	ゆうべ ………………… 3	わかします …………… 8
むかい ………………… 10	ゆうめい（な）……… 20	わかります …………… 18
むこう ………………… 10	ゆき …………………… 5	わたくし ……………… 1
むずかしい …………… 13	ゆっくり ……………… 13	わたし ………………… 1
むね …………………… 21	ゆびわ ………………… 11	わたしたち …………… 2
むら …………………… 14	**●よ**	わたします …………… 22
むりょう ……………… 12	ヨーロッパ …………… 24	わたります …………… 15
●め	よく …………………… 13	わるい ……………… 5、21
め ……………………… 21	よくなります ………… 21	
メール ………………… 23	よこ …………………… 10	
めがね ………………… 11	よびます ……………… 7	
メニュー ……………… 7	よみます ……………… 6	
メモ …………………… 22	よる …………………… 3	
●も	よろしくおねがいします … 30	
もう …………………… 3	よわい ……………… 5、27	
もうすぐ ……………… 4	**●ら**	
もうすこし …………… 13	らいげつ ……………… 3	
もうちょっと ………… 13	らいしゅう …………… 3	
もしもし ……………… 30	らいねん ……………… 3	
もちろん ……………… 27	ラジオ ………………… 23	

解答用紙（模擬試験）

Answer sheet (Mock examinations) ／
卷子、试卷（模拟测试）／답안지 (모의고사)／
Giấy ghi câu trả lời (Kiểm tra mô phỏng thực tế)

第1回

もんだい 1

1	①	②	③	④
2	①	②	③	④
3	①	②	③	④
4	①	②	③	④
5	①	②	③	④
6	①	②	③	④
7	①	②	③	④
8	①	②	③	④
9	①	②	③	④
10	①	②	③	④

もんだい 2

11	①	②	③	④
12	①	②	③	④
13	①	②	③	④
14	①	②	③	④
15	①	②	③	④
16	①	②	③	④
17	①	②	③	④
18	①	②	③	④

もんだい 3

19	①	②	③	④
20	①	②	③	④
21	①	②	③	④
22	①	②	③	④
23	①	②	③	④
24	①	②	③	④
25	①	②	③	④
26	①	②	③	④
27	①	②	③	④
28	①	②	③	④

もんだい 4

29	①	②	③	④
30	①	②	③	④
31	①	②	③	④
32	①	②	③	④
33	①	②	③	④

第2回

もんだい 1

1	①	②	③	④
2	①	②	③	④
3	①	②	③	④
4	①	②	③	④
5	①	②	③	④
6	①	②	③	④
7	①	②	③	④
8	①	②	③	④
9	①	②	③	④
10	①	②	③	④

もんだい 2

11	①	②	③	④
12	①	②	③	④
13	①	②	③	④
14	①	②	③	④
15	①	②	③	④
16	①	②	③	④
17	①	②	③	④
18	①	②	③	④

もんだい 3

19	①	②	③	④
20	①	②	③	④
21	①	②	③	④
22	①	②	③	④
23	①	②	③	④
24	①	②	③	④
25	①	②	③	④
26	①	②	③	④
27	①	②	③	④
28	①	②	③	④

もんだい 4

29	①	②	③	④
30	①	②	③	④
31	①	②	③	④
32	①	②	③	④
33	①	②	③	④

●著者
森本智子（もりもと ともこ）　元広島YMCA専門学校講師
高橋尚子（たかはし なおこ）　熊本外語専門学校専任講師
松本知恵（まつもと ちえ）　NSA日本語学校専任講師
黒岩しづ可（くろいわ しづか）　元日本学生支援機構東京日本語センター日本語講師

DTP・本文レイアウト　オッコの木スタジオ
カバーデザイン　滝デザイン事務所
イラスト　杉本智恵美
翻訳　Alex Ko Ransom／Ako Fukushima／司馬黎／崔明淑／宋貴淑／近藤美佳／Duong Thi Hoa

本書へのご意見・ご感想は下記URLまでお寄せください。
https://www.jresearch.co.jp/kansou/

日本語能力試験問題集　N5語彙スピードマスター
平成28年（2016年）4月10日　初版　第1刷発行
令和元年（2019年）11月10日　　　　第3刷発行

著者　森本智子／高橋尚子／松本知恵／黒岩しづ可
発行人　福田富与
発行所　有限会社　Jリサーチ出版
〒166-0002　東京都杉並区高円寺北2-29-14-705
電話　03(6808)8801（代）　FAX　03(5364)5310
編集部　03(6808)8806
https://www.jresearch.co.jp
印刷所　大日本印刷株式会社

ISBN 978-4-86392-275-4
禁無断転載。なお、乱丁、落丁はお取り替えいたします。
©2016 Tomoko Morimoto, Naoko Takahashi, Chie Matsumoto, Shizuka Kuroiwa
　　　All rights reserved.
Printed in Japan

日本語能力試験問題集 Ｎ５語彙スピードマスター

解答と「例文」の 訳

Answers and "Example Sentence" Translations
解答与「例句」的翻译
해답과「예문」의 번역
Câu trả lời và bản dịch của các câu ví dụ

ドリル の こたえ

PART ① 文字編

Unit 1
1) ①a ②b ③b ④b ⑤a
2) ①b ②a ③b ④a ⑤b

Unit 2
1) ①b ②b ③b ④a ⑤b
2) ①b ②b ③b ④a ⑤b

Unit 3
1) ①a ②b ③a ④b ⑤a
2) ①b ②a ③b ④a ⑤b

Unit 4
1) ①b ②a ③b ④b ⑤a
2) ①b ②b ③b ④b ⑤b

Unit 5
1) ①a ②a ③a ④b ⑤b
2) ①a ②a ③b ④a ⑤a

Unit 6
1) ①a ②b ③a ④a ⑤b
2) ①a ②b ③a ④b ⑤b

Unit 7
1) ①a ②b ③b ④a ⑤a
2) ①a ②b ③a ④a ⑤b

Unit 8
1) ①a ②b ③a ④b ⑤a
2) ①b ②b ③a ④a ⑤b

PART ② 語彙編

Unit 1
1) ①a ②e ③b ④c
2) ①a ②b ③e ④d

Unit 2
1) ①c ②e ③d ④a
2) ①e ②b ③d ④a

Unit 3
1) ①d ②b ③e ④c
2) ①b ②d ③a ④e

Unit 4
1) ①c ②d ③b ④e
2) ①a ②d ③c ④b

Unit 5
1) ①a ②c ③e ④b
2) ①b ②d ③e ④c

Unit 6
1) ①c ②a ③b ④d
2) ①e ②c ③b ④d

Unit 7
1) ①c ②a ③e ④b
2) ①d ②c ③a ④b

Unit 8
1) ①c ②d ③a ④e
2) ①e ②c ③d ④a

Unit 9
1) ①c ②a ③b ④e
2) ①a ②d ③e ④b

Unit 10
1) ①e ②c ③a ④d
2) ①d ②b ③c ④e

Unit 11
1) ①c ②b ③e ④d
2) ①b ②a ③d ④e

Unit 12
1) ①e ②c ③b ④a
2) ①b ②a ③c ④e

Unit 13
1) ①c ②e ③d ④a
2) ①c ②e ③d ④a

Unit 14
1) ①a ②e ③c ④d
2) ①d ②a ③c ④e

Unit 15
1) ①d ②a ③e ④c
2) ①a ②b ③e ④d

Unit 16
1) ①d ②a ③b ④e
2) ①b ②c ③a ④d

Unit 17
1) ①a ②d ③e ④c
2) ①c ②a ③e ④b

Unit 18
1) ①a ②d ③c ④b
2) ①a ②d ③e ④c

Unit 19
1) ①c ②d ③a ④b
2) ①b ②a ③d ④e

Unit 20
1) ①d ②a ③c ④b
2) ①b ②a ③c ④e

Unit 21
1) ①b ②e ③a ④d
2) ①a ②e ③c ④d

Unit 22
1) ①b ②a ③e ④c
2) ①c ②a ③e ④d

Unit 23
1) ①b ②a ③d ④e
2) ①e ②c ③d ④a

Unit 24
1) ①e ②c ③b ④a
2) ①b ②d ③c ④a

Unit 25
1) ①e ②a ③d ④c
2) ①b ②e ③a ④d

Unit 26
1) ①b ②e ③a ④d
2) ①c ②e ③d ④a

Unit 27
1) ①b ②d ③a ④e
2) ①e ②b ③a ④c

Unit 28
1) ①a ②b ③b ④a
2) ①e ②b ③d ④c

Unit 29
1) ①d ②a ③c ④e
2) ①e ②d ③c ④b

Unit 30
1) ①e ②b ③d ④c
2) ①b ②a ③e ④c

実戦練習の こたえ

PART 1 文字編
問題1 ①4 ②2 ③4 ④4 ⑤2 ⑥3 ⑦1 ⑧2 ⑨4 ⑩3 ⑪2 ⑫1
問題2 ①2 ②3 ③2 ④1 ⑤3 ⑥4

PART 2 語彙編

Unit 1 〜 Unit 5
問題1 ①3 ②4 ③2 ④1 ⑤2 ⑥4 ⑦4 ⑧3
問題2 ①3 ②4 ③2 ④3

Unit 6 〜 Unit 10
問題1 ①4 ②3 ③1 ④2 ⑤2 ⑥4 ⑦2 ⑧1
問題2 ①3 ②2 ③4 ④2

Unit 11 〜 Unit 15
問題1 ①4 ②1 ③3 ④4 ⑤2 ⑥1 ⑦4 ⑧3
問題2 ①3 ②4 ③1 ④3

Unit 16 〜 Unit 20
問題1 ①2 ②4 ③3 ④3 ⑤2 ⑥4 ⑦3 ⑧3
問題2 ①2 ②1 ③3 ④2

Unit 21 〜 Unit 25
問題1 ①2 ②3 ③1 ④4 ⑤4 ⑥1 ⑦2 ⑧4
問題2 ①4 ②1 ③3 ④1

Unit 26 〜 Unit 30
問題1 ①2 ②3 ③4 ④1 ⑤2 ⑥3 ⑦2 ⑧3
問題2 ①2 ②3 ③2 ④3

模擬試験の こたえ

第1回
問題1 1.4 2.4 3.3 4.1 5.1 6.1 7.2 8.2 9.2 10.3
問題2 11.3 12.3 13.2 14.2 15.4 16.2 17.3 18.3
問題3 19.4 20.2 21.3 22.2 23.1 24.3 25.4 26.1 27.3 28.2
問題4 29.2 30.2 31.4 32.2 33.3

第2回
問題1 1.2 2.3 3.4 4.4 5.4 6.3 7.3 8.2 9.4 10.1
問題2 11.4 12.3 13.4 14.2 15.3 16.3 17.3 18.4
問題3 19.4 20.3 21.1 22.4 23.3 24.2 25.1 26.4 27.2 28.4
問題4 29.1 30.4 31.2 32.3 33.2

例文の 訳

Unit 1
① She is Japanese.
② My little sister's child is a boy.
③ My grandfather is a doctor.
④ "Is he a student?" "No, he is a company employee."
⑤ "Do you have a pet?" "Yes, I have a dog."

Unit 2
① John-san has many friends.
② I am a student at Sakura University.
③ Children are playing in the park.
④ "Who is that man?" "He is my teacher."
⑤ Nice to meet all of you.

Unit 3
① Next week, I have a Japanese test.
② "When will you go to Kyoto?" "The beginning of next month."
③ I will meet my friend this afternoon.
④ I came to Japan last year.
⑤ Please wait a bit. I will call later.

Unit 4
① "What time is it right now?" "It is 7:15."
② Please do not use your phone during a meal.
③ I will leave home after 3.
④ Tomorrow is my little sister's birthday.
⑤ "About what time is it right now?" "It will be 5 soon."

Unit 5
① The weather today is nice, isn't it?
② It's hot, isn't it? Let's turn on the air conditioning.
③ The sky is cloudy. It may rain.
④ It is snowing in Tokyo right now.
⑤ "Is it still raining?" "Yes. But it should be clear in the afternoon."

Unit 6
① "I wake up every morning at 6." "That's early. I wake up at 7."
② My older sister always gets home at around 6.
③ I will clean my room after returning home today.
④ "I always take my time in the bath." "So do I."
⑤ I do the laundry about twice a week.

Unit 7
① The restaurant is crowded from 12 to 1.
② You say "excuse me" when you call an attendant.
③ Please eat this dish with a knife and fork.
④ I do not like spicy food very much.
⑤ This soup is sour, but it tastes good.

Unit 8
① What kinds of food do you like?
② I go to work every day with a packed lunch.
③ Excuse me, may I have some water?
④ Sashimi is eaten with soy sauce on it.
⑤ This soup was made with vegetables and chicken.

Unit 9
① My home is right there.
② That is a nice clock.
③ "Where is the bathroom?" "Over this way."
④ "What country are you from?" "Thailand."
⑤ "Who is that over there?" "That is my mother."

Unit 10
① There is a supermarket across the street from my home.
② There is a café next door to the supermarket.
③ There is a park behind the café.
④ There is a river to the side of the park.
⑤ There is a bridge ahead of the river.

Unit 11
① She is always wearing cute clothes.
② Please take your shoes off here.
③ My father has many ties.
④ Sakura-san is the one wearing a blue hat.
⑤ "This coat is a little longer. Do you have a short one?"

Unit 12
① I often go shopping at the department store near the station.
② That store opens at 10.
③ Beer sells well on hot days.
④ You pay first at this canteen.
⑤ This product is somewhat cheap.

Unit 13
① It is a little cold today.
② I bought a lot of bread.
③ I remembered it all.
④ Please walk a little more slowly.
⑤ "Do you go to that store often?" "Yes, I went yesterday, too."

Unit 14
① I will go to the post office and send my luggage to my family.
② There is a bookstore and florist inside the department store.
③ "Which way is the museum?" "I don't know. Let's look at a map."
④ "There is a police box over there." "You're right. Let's ask there."
⑤ This place is always lively and full of people.

Unit 15
① I go to the station by bicycle, then get on a train from there.
② After getting off the train, I called my mother immediately.
③ The train on the #4 platform will not stop at Kyoto.
④ The signal turned red and the bus stopped.
⑤ Please take me to a nearby station.

Unit 16
① I will place my refrigerator next to my bookshelf.
② I do not have air conditioning in my home.
③ I would like to live in a slightly larger room than my current one.
④ Excuse me, where is the entrance to the subway?
⑤ I'd like to go to the restroom, but...

Unit 17
① On days with good weather, you can see Mt. Fuji from here.
② About half of the cherry blossoms in the park had bloomed.
③ I prefer swimming in the ocean over pools.
④ Oh, the birds are chirping. Can you hear that?
⑤ "Baby animals are cute, aren't they?" "Yes. Baby cats are truly cute."

Unit 18
① I've been living in Tokyo since I began studying at university.
② I always take classes in this classroom.
③ I have to submit a report by Monday next week.
④ "What are you researching at university?" "Japan's economy."
⑤ Alright, please read page 57 of your textbooks.

Unit 19
① On Sundays, I work a side job from 9.
② My older brother is an engineer. He works at Fuji Electric.
③ This company was created by its President 20 years ago.
④ Many customers were lined up in front of the store.
⑤ Tanaka-san is working at the office of a university.

Unit 20
① While I'm not good at it, I love singing.
② I have practiced the piano every morning since I was a child.
③ I go to a cooking classroom once a week and learn how to cook Japanese food.

④ I love music, so I go to lots of concerts.
⑤ This Saturday, I will go to watch a soccer match.

Unit 21
① That person with the long hair is Sakura-san.
② "How are you feeling?" "A little better."
③ Please take this medicine three times a day after meals.
④ I'e had a fever from yesterday. Also, my stomach hurts.
⑤ Please take care of yourself.

Unit 22
① Please put water in this vase.
② A pencil is no good. Please use a ballpoint pen with black ink.
③ "What is in that wooden box?" "Foreign liquor."
④ This book is 240 pages long, but I've already read half of it.
⑤ I'd like to take notes. Do you have any paper?

Unit 23
① I watch the news every morning on television.
② Please send this letter by express delivery.
③ Excuse me, but could you please take a message for me?
④ I forgot my cell phone, so I can't make a call.
⑤ Please tell Tanaka-san that I will be a little late.

Unit 24
① I have gone to South Korea before.
② Tanaka-san can speak French and Vietnamese.
③ Japanese anime is even popular in my country.
④ Sumo is popular in Mongolia.
⑤ The curry in Nepal is very spicy.

Unit 25
① I would like to marry a thoughtful person.
② My mother is always kind, but she's scary when she's mad.
③ My father was very cool as a student.
④ "What nice weather." "Yes, doesn't it feel great?"
⑤ "Do you have any foods you don't like?" "I don't like tomatoes."

Unit 26
① You need a stamp when sending this postcard.
② The lights are off, so Lisa-san isn't here.
③ You stand and eat at this store.
④ I lost my wallet yesterday.
⑤ "I'll take that red one." "This one? That will be 200 yen."

Unit 27
① This room is nice and bright.
② "Are you feeling better?" "Yes. I'm fine now."
③ I want to eat something warm.
④ "It's very lively, isn't it?" "Yes. There is a festival today."
⑤ "May I go to tomorrow's party?" "Yes, of course."

Unit 28
① I like round clocks.
② Please write your address here.
③ My room number is 203.
④ "Which seat would you like?" "I would like one with a view of the ocean."
⑤ "Which one would you like?" "I'll take that small one, then."

Unit 29
① "How did you go to Osaka?" "I went by Shinkansen."
② "How long does it take to get here from your home?" "About an hour."
③ How is this machine used?
④ Hokkaido is a beautiful place. The food is delicious as well.
⑤ That restaurant is cheap, but the taste isn't very good.

Unit 30
① "Welcome. Come in." "Excuse me."
② "Excuse me, are you Tanaka-san?" "Yes, that is correct."
③ "See you later." "Yes, please take care."
④ "Thank you for today." "Oh, you're welcome."
⑤ "Nice to meet you." "Nice to meet you as well."

Unit 1
① 她是日本人。
② 妹妹的孩子是男孩儿。
③（我）叔叔是医生。
④「他是学生吗？」「不是，他是公司职员」
⑤「你有宠物吗？」「有，有一条狗。」

Unit 2
① 约翰有很多朋友。
② 我是樱花大学的学生。
③ 孩子们在公园玩。
④「那个男的是谁？」「是我老师。」
⑤ 请大家多关照。

Unit 3
① 下周有日语考试。
②「什么时候去京都？」「下月初。」
③ 今天下午见个朋友。
④ 去年，我来到日本。
⑤ 请等一下，过会儿再给你打电话。

Unit 4
①「现在几点？」「7点15分。」
② 吃饭的时候不要打电话。
③ 3点多离开家。
④ 明天是妹妹的生日。
⑤「现在大约几点？」「马上就到5点了。」

Unit 5
① 今天天气真好啊！
② 真热啊！打开空调吧。
③ 天阴了。也许会下雨。
④ 现在东京在下雪。
⑤「还在下吗？」「嗯！不过，下午大概会晴吧。」

Unit 6
①「我每天6点起床。」「真早啊！我7点起床。」
② 姐姐总是6点左右回家。
③ 今天回家后打扫房间。
④「我总是泡澡泡很长时间。」「我也是。」
⑤ 一周洗两次衣服。

Unit 7
① 从12点到1点餐馆人很多。
② 叫店员的时候说「すみません。」
③ 这菜用刀叉吃。
④ 不太喜欢辣的菜。
⑤ 这汤酸，不过很好喝。

Unit 8
① 喜欢吃的是什么？
② 每天带便当去公司。
③ 请问，请给我一杯水。
④ 生鱼片蘸酱油吃。
⑤ 这汤是用蔬菜和鸡肉做的。

Unit 9
① 我家在那里。
② 那个表不错啊！
③「厕所在哪儿？」「在这边儿。」
④「您是哪国人？」「我是泰国人。」
⑤「那位是谁？」「是我母亲。」

Unit 10
① 我家对面是超市。
② 超市旁边儿是咖啡店。
③ 咖啡店后边儿是公园。
④ 公园旁边儿有条河。
⑤ 河前面有座桥。

Unit 11
① 她总是穿可爱的衣服。
② 请在这儿脱鞋。
③ 父亲有很多领带。
④ 戴蓝色帽子的是さくら さん。
⑤「这件大衣有点长啊！有短点儿的吗？」

Unit 12
① 经常在火车站旁边儿的百货店买东西。
② 那家店10店开门。
③ 热天时啤酒很畅销。
④ 这家店是先交钱。
⑤ 这个商品便宜点儿。

Unit 13
① 今天有点儿冷。
② 买了很多面包。
③ 都记住了。
④ 请再慢点儿走。
⑤「经常去那家店吗?」「是的,昨天也去了。」

Unit 14
① 去邮局给家人寄东西。
② 百货店又有书店也有花店。
③「美术馆在哪儿?」「不知道,查查地图吧。」
④「那里有派出所。」「是啊!在那儿问问吧。」
⑤ 这里总是很热闹,人很多。

Unit 15
① 骑自行车到车站,然后再坐电车。
② 下了电车马上就给母亲打了电话。
③ 4号站台的电车京都不停。
④ 信号变红,公共汽车停了。
⑤ 请到附近的火车趏。

Unit 16
① 我把冰箱放在书架旁边。
② 我家没有空调。
③ 想住比现在大一点儿的房子。
④ 对不起,地铁的入口在哪儿?
⑤ 我想去一下洗手间。。。

Unit 17
① 天好时从这里能看到富士山。
② 公园的樱花一半左右都开了。
③ 跟游泳池比,更想在海里游泳。
④ 啊!鸟在叫,听见了吗?
⑤「动物的小宝宝很可爱啊。」「是啊!猫的小宝宝真可爱。」

Unit 18
① 从上大学时起就住在东京。
② 总在这个教室上课。
③ 报告到下周一为止必须提交。
④「在大学研究什么?」「研究日本经济。」
⑤ 那请读一下教科书的第57页。

Unit 19
① 星期天早上从9店开始打工。
② 哥哥是工程师,在富士电气工作。
③ 这个公司20年前社长创建的。
④ 店前很多客人排着对。
⑤ 田中在大学事务所工作。

Unit 20
① 唱得不好,不过很喜欢唱。
② 小时候每天早上练习弹钢琴。
③ 一星期一次去烹饪教室学习日本料理。
④ 因为喜欢音乐,所以去听各种音乐会。
⑤ 这周六去看足球比赛。

Unit 21
① 那个头发长的人是さくら さん。
②「感觉怎么样?」「好点儿了」
③ 这药一天三次,饭后吃。
④ 从昨天开始发烧,然后肚子也开始疼。
⑤ 请注意身体。

Unit 22
① 请把水倒进这个花瓶里。
② 铅笔不行,请用黑色或蓝色的圆珠笔写。
③「那个木箱里装着什么?」「是外国酒。」
④ 那本书一共有240页,已经读了一半了。
⑤ 想记下来,有纸吗?

Unit 23
① 每天早上看电视新闻。
② 这封信请寄挂号信。
③ 对不起,请传达一下。
④ 手机忘了,不能打电话。
⑤ 请转达给田中说我晚到一会儿。

Unit 24
① 我去过韩国。
② 田中会法语越南语。
③ 日本的动漫在我们国家也很有名。
④ 相扑在蒙古也很受欢迎。
⑤ 尼泊尔的咖喱很辣。

Unit 25
① 想跟热情厚道的人结婚。
② 母亲总是很温柔，不过生气时很可怕。
③ 父亲学生时很帅。
④「天气真好啊！」「是啊！心情好舒畅啊！」
⑤「有不喜欢吃的吗？」「我不喜欢吃西红柿。」

Unit 26
① 这个明信片寄的时候要贴邮票。
② 因为灯关着，现在莉莎不在。
③ 这家店站着吃。
④ 昨天把钱包给弄丢了。
⑤「请给我那个红的。」「是这个吧，200 日元。」

Unit 27
① 这个房间很亮，很好啊。
②「好了吗？」「嗯！已经不要紧了。」
③ 我想吃点什么温热的东西。
④「很热闹啊！」「是啊！今天有庙会。」
⑤「明天的派对我也可以去吗？」「当然可以。」

Unit 28
① 表圆形的好。
② 请在这儿写上地址。
③ 我的房间号码是 203。
④「哪个座位好？」「能看到海的座位好。」
⑤「哪个好？」「那给我来那个小的吧。」

Unit 29
①「怎么到的大阪？」「坐新干线去的。」
②「从家到这里要多长时间？」「一个小时左右。」
③ 这个机器怎么使用？
④ 北海道很漂亮，而且吃的东西也很好吃。
⑤ 那家餐馆虽然便宜，但不太好吃。

Unit 30
①「欢迎欢迎，请！」「失礼了。」
②「冒昧问一下，您是田中吧？」「对！」
③「那么，再见！」「请多保重。」
④「今天太谢谢了！」「不客气。」
⑤「请多关照。」「也请您多关照。」

Unit 1
① 그녀는 일본인입니다
② 여동생의 아이는 남자아이입니다 .
③ 삼촌은 의사를 하고 있습니다 .
④ "그는 학생입니까 ?" "아니오 , 회사원입니다 ."
⑤ "애완동물은 있습니까 ?" "네 . 개가 있습니다 ."

Unit 2
① 존 씨는 친구가 많이 있습니다 .
② 나는 A 대학의 학생입니다 ,
③ 아이 들은 공원에서 놀고 있습니다 .
④ "저 남자는 누구입니까 ?" "제 선생님입니다 ."
⑤ 여러분 , 잘 부탁합니다 .

Unit 3
① 다음 주에 일본어 시험이 있습니다 .
② "언제 교토에 갑니까 ?" "다음 달 초입니다 ."
③ 오늘 오후에 친구를 만납니다 .
④ 작년에 나는 일본에 왔습니다 .
⑤ 조금 기다려주세요 . 나중에 전화하겠습니다 .

Unit 4
① "지금 몇 시입니까 ?" "7 시 15 분입니다 ."
② 식사 중에는 전화를 하지 말아 주세요 .
③ 3 시 넘어 집을 나옵니다 .
④ 내일은 여동생의 생일입니다 .
⑤ "지금 몇 시입니까 ?" "곧 5 시입니다 ."

Unit 5
① 오늘은 좋은 날씨이네요 .
② 덥군요 . 에어컨을 켭시다 .
③ 하늘이 흐려졌습니다 . 비가 올지도 모릅니다 .
④ 지금 동경은 눈이 내리고 있습니다 .
⑤ "아직 내리고 있습니까 ?" "네 . 하지만 오후에는 개겠지요 ."

Unit 6
① "나는 매일 아침 6 시에 일어납니다 ." "빠르군요 . 저는 7 시입니다 ."
② 누나 (언니) 는 항상 6 시 경에 집에 돌아옵니다 .
③ 오늘은 집에 가서 방 청소를 합니다 .
④ "저는 항상 천천히 목욕을 합니다 ." "저도 그래요 ."
⑤ 바빠서 , 세탁을 하는 것은 일주에 2 번 정도입니다 .

Unit 7
① 12시부터 1시는 레스토랑이 붐빕니다.
② 점원을 부를 때는 "すみません"이라고 합니다.
③ 이 요리는 나이프와 포크로 드세요.
④ 매운 요리는 별로 좋아하지 않습니다.
⑤ 이 수프는 십니다만 맛있습니다.

Unit 8
① 좋아하는 음식은 무엇입니까?
② 매일 회사에 도시락을 가지고 갑니다.
③ 커피와 홍차 중 어느쪽을 자주 마십니까?
④ 회는 간장을 찍어 먹습니다.
⑤ 이 수프는 야채와 닭고기로 만들었습니다.

Unit 9
① 제 집은 저기입니다.
② 그 시계, 좋군요.
③ "화장실은 어디입니까?" "이쪽입니다."
④ "어느 나라 분이세요?" "타이입니다."
⑤ "저 분은 누구십니까?" "제 엄마입니다."

Unit 10
① 우리 집 건너편은 슈퍼마켓입니다.
② 슈퍼마켓의 옆에 커피숍이 있습니다.
③ 커피숍의 뒤는 공원입니다.
④ 공원 옆에 강이 있습니다.
⑤ 강 앞에 다리가 있습니다.

Unit 11
① 그녀는 언제나 귀여운 옷을 입고 있습니다.
② 아오키 씨는 반지를 끼고 있으니까 결혼했겠죠?
③ 아버지는 넥타이를 많이 가지고 있습니다.
④ 파란 모자를 쓴 사람이 사쿠라 씨입니다.
⑤ "이 코트는 조금 기네요. 짧은 것은 있습니까?"

Unit 12
① 역 옆의 백화점에서 자주 쇼핑을 합니다.
② 저 가게는 열 시에 엽니다.
③ 더운 날은 맥주가 잘 팔립니다.
④ 이 가게에는 먼저 돈을 냅니다.
⑤ 이 상품은 좀 오래돼서 쌉니다.

Unit 13
① 오늘은 조금 춥습니다.
② 빵을 많이 샀습니다.
③ 주스를 다 마셔 버렸습니다.
④ 좀 더 천천히 걸어 주세요.
⑤ "그 가게에는 자주 갑니까?" "네. 어제도 갔습니다."

Unit 14
① 우체국에 가서 가족에게 짐을 보냅니다.
② 백화점 안에는 책가게와 꽃가게도 있습니다.
③ "미술관은 어느 쪽입니까?" "모르겠습니다. 지도를 봅시다."
④ "저기에 파출소가 있어요." "그러네요. 저기에서 물어봅시다."
⑤ 여기는 항상 번잡하고 사람이 많습니다.

Unit 15
① 역까지 자전거로 가서 그리고 전철을 탑니다.
② 전철을 내려 곧 어머니에게 전화를 했습니다.
③ 이 길을 똑 바로 가면 은행이 있습니다.
④ 신호가 빨간색으로 바뀌어서 버스가 멈추었습니다.
⑤ 교차로를 돌면 작은 다리가 있습니다.

Unit 16
① 책장 옆에 냉장고를 둡니다.
② 제 집에는 에어컨이 없습니다.
③ 지금보다 좀 더 넓은 방에 살고 싶습니다.
④ 현관 문을 열었더니 아버지가 서 계셨습니다.
⑤ 잠깐 화장실에 가고 싶습니다만…….

Unit 17
① 날씨가 좋은 날에는 여기서 후지산이 보입니다.
② 공원의 벚꽃은 반 정도 피어 있었습니다.
③ 수영장보다 바다에서 수영을 하고 싶습니다.
④ 어, 새가 울고 있네요. 들립니까?
⑤ "동물의 아기는 귀엽네요." "네. 고양이의 아기는 정말 귀엽습니다."

Unit 18
① 대학에 입학했을 때부터 동경에 살고 있습니다.
② 항상 이 교실에서 수업을 받고 있습니다.
③ 다음 주 월요일까지 리포트를 제출하지 않으면 안 됩니다.
④ "대학에서는 무엇을 연구하고 있습니까?" "일본 경제입니다."
⑤ 그럼 교과서 57페이지를 읽어 주세요.

Unit 19
① 일요일은 아침 9시부터 아르바이트를 하고 있습니다.
② 형(오빠)은 엔지니어입니다. 후지 전기에 근무하고 있습니다.
③ 이 회사는 20년 전에 사장님이 만들었습니다.
④ 가게 앞에는 벌써 많은 손님이 줄을 서 있었습니다.
⑤ 다나카 씨는 대학 사무실에서 일하고 있습니다.

Unit 20
① 잘 못합니다만 노래하는 것을 아주 좋아합니다.
② 어릴 때부터 매일 아침 피아노 연습을 하고 있습니다.
③ 일주일에 한 번 요리 교실에 가서 일본 요리를 배우고 있습니다.
④ 음악을 좋아하니까 각종 콘서트에 갑니다.
⑤ 이번 주 토요일에, 축구 시합을 보러 갈 겁니다.

Unit 21
① 저 머리가 긴 사람이 사쿠라 씨입니다.
② "기분은 어떻습니까?" "조금 좋아졌어요."
③ 이 약은 하루 3번 식사 후에 드세요.
④ 어제부터 열이 있습니다, 그리고 배도 아픕니다.
⑤ 이제부터 추워지니까 몸 조심하세요.

Unit 22
① 이 꽃병에 물을 넣어 오세요.
② 연필은 안됩니다. 검정이나 파란 볼펜으로 써 주세요.
③ "저 나무 상자에는 무엇이 들어있습니까?" "외국 술입니다."
④ 그 책은 240페이지 있습니다만 벌써 반을 읽었습니다.
⑤ 메모를 하고 싶습니다, 종이는 없습니까?

Unit 23
① 매일 아침 텔레비전에서 뉴스를 봅니다.
② 이 편지를 속달로 부탁합니다.
③ 미안합니다만 전언을 부탁합니다.
④ 휴대 전화 가져오는 것을 잊어버려 전화를 할 수 없습니다.
⑤ 다나카 씨께 조금 늦는다고 전해 주세요.

Unit 24
① 저는 한국에 간 적이 있습니다.
② 다나카 씨는 프랑스어와 베트남어를 이해합니다.
③ 일본 만화영화는 저희 나라에서도 유명합니다.
④ 스모는 몽골에서도 인기가 있습니다.
⑤ 네팔 카레는 아주 맵습니다.

Unit 25
① 친절한 사람과 결혼하고 싶습니다.
② 어머니는 항상 상냥합니다만 화를 낼 때는 무섭습니다.
③ 아버지는 학생 때 무척 멋있었습니다.
④ "좋은 날씨이군요." "네. 기분이 좋군요."
⑤ "싫어하는 음식은 있습니까?" "저는 토마토를 싫어합니다."

Unit 26
① 이 엽서를 보낼 때 우표가 필요합니다.
② 불이 꺼져 있으니까 지금 리사 씨는 없습니다.
③ 이 가게에서는 서서 먹습니다.
④ 어제 지갑을 잃어버렸습니다.
⑤ "그 빨간 것을 주세요." "이거 말씀이세요? 200엔입니다."

Unit 27
① 이 방은 밝아서 좋습니다.
② "건강해지셨어요?" "네 이제 괜찮습니다."
③ 추우니까 따뜻한 것을 먹고 싶습니다.
④ "무척 떠들썩하네요." "네. 오늘은 축제가 있습니다."
⑤ "내일 파티에 저도 가도 됩니까?" "물론입니다."

Unit 28
① 시계는 둥근 형태가 좋습니다.
② 여기에 주소를 써 주세요.
③ 제 방 번호는 203입니다.
④ "어느 자리가 좋습니까?" "바다가 보이는 자리가 좋습니다."
⑤ "어느 쪽이 좋습니까?" "그럼 그 작은 쪽을 주세요."

Unit 29
① "오사카까지 무엇으로 갔습니까?" "신칸센으로 갔습니다."
② "집에서 여기까지 어느 정도 걸립니까?" "1시간 정도입니다."
③ 이 기계는 어떻게 사용합니까?
④ 북해도는 멋진 곳입니다. 그리고 음식이 맛있습니다.
⑤ 저 레스토랑은 싸지만 별로 맛이 없습니다.

Unit 30
① "어서 오세요. 자 이쪽으로." "실례하겠습니다."
② "실례합니다만 다나카 씨이십니까?" "네. 그렇습니다."
③ "그럼 또." "네. 부디 잘 계세요."
④ "오늘은 감사했습니다." "아니오, 천만에요."
⑤ "잘 부탁드립니다." "저야말로 잘 부탁드립니다."

Unit 1
① Cô ấy là người Nhật Bản.
② Con của em gái là con trai.
③ Bác tôi làm bác sĩ.
④ "Anh ấy có phải là sinh viên không?" "Không, anh ấy là nhân viên công ty."
⑤ "Bạn có nuôi con vật cưng không?" "Có, tôi nuôi chó."

Unit 2
① Anh John có nhiều bạn bè.
② Tôi là sinh viên trường đại học Sakura.
③ Lũ trẻ đang chơi ở công viên.
④ "Đàn ông kia là ai?" "Giáo viên của tôi."
⑤ Rất mong nhận được sự giúp đỡ của mọi người.

Unit 3
① Tuần sau có cuộc thi tiếng Nhật.
② "Khi nào bạn đi Kyoto?" "Đầu tháng sau."
③ Chiều nay tôi gặp bạn.
④ Năm ngoái tôi đã đến Nhật Bản.
⑤ Xin chờ một chút. Tôi sẽ gọi điện sau.

Unit 4
① "Bây giờ là mấy giờ?" "7 giờ 15 phút."
② Xin đừng gọi điện trong khi đang ăn cơm.
③ Hơn 3 giờ tôi sẽ ra khỏi nhà.
④ Ngày mai là sinh nhật của em gái.
⑤ "Bây giờ là khoảng mấy giờ?" "Sắp đến 5 giờ rồi."

Unit 5
① Hôm nay trời đẹp lắm nhỉ.
② Nóng quá nhỉ. Bật điều hoà nhé.
③ Trời có nhiều mây. Có thể mưa.
④ Bây giờ ở Tokyo tuyết đang rơi.
⑤ "Tuyết vẫn còn rơi không?" "Vâng, nhưng chắc chiều sẽ nắng."

Unit 6
① "Mỗi sáng tôi thức dậy lúc 6 giờ." "Sớm nhỉ. Còn tôi thì 7 giờ."
② Chị tôi thường về tới nhà lúc 6 giờ.
③ Hôm nay sau khi về nhà sẽ dọn phòng.
④ "Tôi luôn luôn ngâm mình trong bồn nước nóng thong thả." "Tôi cũng vậy."
⑤ Tôi giặt đồ mỗi tuần khoảng 2 lần.

Unit 7
① Từ 12 giờ đến 1 giờ nhà hàng đông.
② Lúc gọi nhân viên phục vụ, nói 「すみません。」.
③ Xin hãy ăn món này bằng dao và nĩa.
④ Tôi không thích món cay lắm.
⑤ Món súp này chua nhưng ngon.

Unit 8
① Món ăn yêu thích của bạn là gì?
② Hàng ngày tôi mang theo cơm hộp đến công ty.
③ Xin lỗi, cho tôi xin nước.
④ Món gỏi cá thì chấm nước tương mà ăn.
⑤ Món súp này được làm bằng rau và thịt gà.

Unit 9
① Nhà tôi ở đằng kia.
② Cái đồng hồ đó tốt nhỉ.
③ "Nhà vệ sinh ở đâu?" "Ở đây."
④ "Bạn đến từ nước nào?" "Thái."
⑤ "Bà kia là ai?" "Mẹ tôi."

Unit 10
① Đối diện nhà tôi có siêu thị.
② Bên cạnh siêu thị có quán cà phê.
③ Sau quán cà phê có công viên.
④ Bên cạnh công viên có con sông.
⑤ Phía trước sông có cầu.

Unit 11
① Cô ấy luôn luôn mặc áo dễ thương.
② Xin hãy cởi giày tại đây.
③ Bố tôi có nhiều áo sơ mi dài tay.
④ Người đội mũ màu xanh là cô Sakura.
⑤ "Áo khoác này hơi dài quá. Có cái ngắn hơn không?"

Unit 12
① Tôi thường xuyên mua đồ ở cửa hàng bách hoá gần nhà ga.
② Cửa hàng đó mở cửa lúc 10 giờ.

③ Vào những ngày nóng, bia được bán chạy.
④ Ở cửa hàng này trả tiền trước.
⑤ Hàng hoá này hơi rẻ.

Unit 13
① Hôm nay trời hơi lạnh.
② Tôi đã mua nhiều bánh mì.
③ Tôi đã thuộc lòng hết rồi.
④ Xin hãy đi chậm hơn một chút.
⑤ "Bạn có thường xuyên đi cửa hàng đó không?" "Có, hôm qua tôi cũng đi."

Unit 14
① Đi bưu điện gửi đồ đến gia đình.
② Trong cửa hàng bách hoá có cả hiệu sách và cửa hàng bán hoa.
③ "Bảo tàng mỹ thuật ở đâu?" "Tôi không biết. Hãy xem bản đồ."
④ "Ở đằng kia có sở cảnh sát." "Vâng. Hãy hỏi ở đó đi."
⑤ Chỗ này luôn luôn náo nhiệt và đông người.

Unit 15
① Đạp xe đến nhà ga rồi lên tàu.
② Sau khi xuống tàu ngay lập tức tôi gọi điện thoại cho mẹ.
③ Xe tàu đang ở sân ga số 4 không dừng lại ở Kyoto.
④ Đèn giao thông đã chuyển sang màu đỏ và xe buýt dừng lại.
⑤ Làm ơn cho tôi đến nhà ga gần đây.

Unit 16
① Đặt tủ lạnh ở bên giá sách.
② Nhà tôi không có máy điều hoà.
③ Tôi muốn sống ở phòng rộng hơn phòng bây giờ một chút.
④ Xin lỗi, làm ơn cho tôi hỏi cửa vào ga tàu điện ngầm ở đâu?
⑤ Tôi muốn đi nhà vệ sinh một chút.

Unit 17
① Vào hôm trời nắng từ đây có thể nhìn thấy núi phú sĩ.
② Hoa anh đào ở công viên đã nở một nửa.
③ Tôi muốn bơi ở biển hơn ở bể bơi.
④ Ồ, chim hót đấy. Nghe thấy không?
⑤ "Con vật con dễ thương lắm nhỉ." "Vâng, mèo con thật dễ thương."

Unit 18
① Từ khi vào đại học, tôi sống ở Tokyo.
② Tôi luôn luôn tham dự giờ học ở phòng học này.
③ Phải nộp báo cáo trước ngày thứ 2 tuần sau.
④ "Bạn nghiên cứu về cái gì ở đại học?" "Về kính tế Nhật Bản."
⑤ Vậy, xin hãy đọc trang 57 sách giáo khoa.

Unit 19
① Chủ nhật tôi làm thêm từ 9 giờ sáng.
② Anh trai tôi là kỹ sư. Anh ấy làm việc tại công ty điện tử Fuji.
③ Công ty này được thành lập bởi giám đốc 20 năm trước.
④ Trước cửa hàng, có nhiều khách xếp hàng.
⑤ Cô Tanaka làm việc tại văn phòng trường đại học.

Unit 20
① Tôi hát kém nhưng rất thích hát.
② Từ khi còn trẻ, mỗi sáng tôi tập chơi đàn piano.
③ Tôi tham dự lớp học nấu ăn mỗi tuần 1 lần để học nấu món Nhật.
④ Vì tôi thích âm nhạc nên tôi đi xem nhiều buổi hoà nhạc khác nhau.
⑤ Thứ 7 tuần này tôi đi xem trận đấu bóng đá.

Unit 21
① Người tóc dài đó là cô Sakura.
② "Sức khoẻ thế nào rồi?" "Đã khoẻ lên một chút."
③ Xin hãy uống thuốc này mỗi ngày 3 lần, sau khi ăn cơm.
④ Từ hôm qua tôi bị sốt. Thêm vào đó cũng bị đau bụng.
⑤ Xin hãy giữ gìn sức khoẻ.

Unit 22

① Xin hãy cho nước vào bình hoa này.
② Bút chì thì không được. Xin hãy viết bằng bút bi màu đen hoặc màu xanh.
③ "Trong cái hộp gỗ đó có cái gì?" "Rượu nước ngoài."
④ Cuốn sách đó có 240 trang, nhưng tôi đã đọc một nửa rồi.
⑤ Tôi muốn ghi chép. Có giấy không?

Unit 23

① Mỗi sáng tôi xem thời sự qua ti vi.
② Làm ơn gửi thư này bằng chuyển phát nhanh.
③ Xin lỗi nhưng tôi có thể nhờ anh chuyển lời có được không?
④ Tôi quên mang theo điện thoại di động, nên không gọi điện được.
⑤ Anh làm ơn chuyển đến anh Tanaka rằng tôi đến muộn một chút.

Unit 24

① Tôi đã từng đi Hàn Quốc.
② Cô Tanaka hiểu tiếng Pháp và tiếng Việt.
③ Hoạt hình Nhật Bản cũng nổi tiếng cả ở nước tôi.
④ Vật Sumo cũng được ưa thích cả ở Mông Cổ.
⑤ Món cà ri Nê-pan rất cay.

Unit 25

① Tôi muốn kết hôn với người hiền lành.
② Mẹ tôi thường hiền nhưng cũng đáng sợ khi tức giận.
③ Bố tôi rất đẹp khi ông ta còn là sinh viên.
④ "Trời đẹp lắm nhỉ." "Vâng, dễ chịu quá."
⑤ "Có đồ ăn nào không thích không?" "Tôi không thích cà chua."

Unit 26

① Khi gửi bưu thiếp này cần có tem.
② Đèn tắt nên bây giờ cô Lisa không có ở đây.
③ Ở cửa hàng này cứ đứng mà ăn.
④ Hôm qua tôi đã làm mất ví tiền.
⑤ "Cho tôi lấy cái màu đỏ đó." "Cái này à. 200 yên."

Unit 27

① Căn phòng này sáng sủa và tốt nhỉ.
② "Đã khoẻ lên chưa?" "Dạ, tôi đã ổn rồi."
③ Tôi muốn ăn món gì ấm ấm.
④ "Náo nhiệt lắm nhỉ." "Vâng, hôm nay có lễ hội."
⑤ "Tiệc ngày mai tôi cũng đi có được không?" "Tất nhiên rồi."

Unit 28

① Đồng hồ thì thích cái hình tròn.
② Xin hãy viết địa chỉ vào đây.
③ Số phòng tôi là 203.
④ "Bạn thích ngồi ghế nào hơn?" "Tôi thích ngồi ghế có thể nhìn thấy biển."
⑤ "Bạn thích cái nào hơn?" "Vậy cho tôi xin cái nhỏ đó."

Unit 29

① "Bạn đi bằng gì đến Osaka?" "Tôi đi bằng tàu shinkansen."
② "Từ nhà đến đây mất bao lâu?" "Mất khoảng 1 tiếng đồng hồ."
③ Cái máy này sử dụng như thế nào?
④ Hokkaido là nơi đẹp. Và món ăn cũng ngon.
⑤ Nhà hàng đó giá rẻ nhưng không ngon lắm.

Unit 30

① "Xin mời vào. Nào, xin mời." "Tôi xin phép vào."
② "Xin lỗi nhưng anh có phải là anh Tanaka không?" "Dạ, phải."
③ "Vậy, hẹn gặp lại nhé." "Vâng, hãy giữ gìn sức khoẻ nhé."
④ "Hôm nay xin cảm ơn anh rất nhiều." "Dạ, không có gì."
⑤ "Rất mong nhận được sự giúp đỡ." "Tôi cũng vậy."